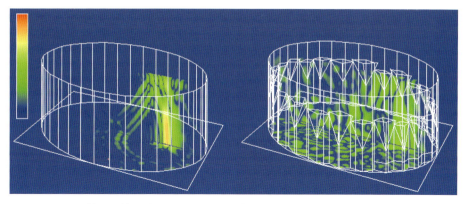

口絵1　楕円形ホールにおける室内音波伝搬の様子（3.1節参照）

口絵2　車室内の音波伝搬の様子（DVD A_3.3-2参照）

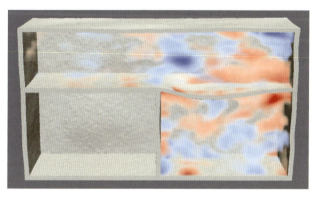

口絵3　2階建てコンクリート造建物の床衝撃放射音の様子（4.3節参照）

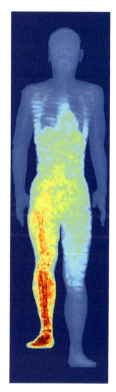

口絵4　踵に力を加えた際の波動伝播の様子（DVD A_5.1-12参照）

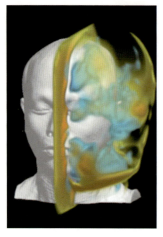

口絵 5 頭部に平面波が入射した場合の散乱の様子（6.1 節参照）

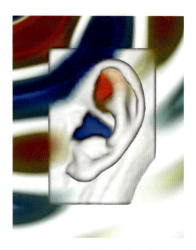

口絵 6 耳周辺の音場の様子（DVD A_6.1-2 参照）

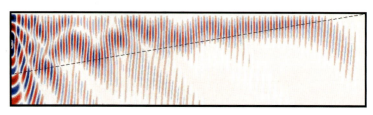

口絵 7 浅海域での波動伝搬の様子（DVD A_7.1-1 参照）

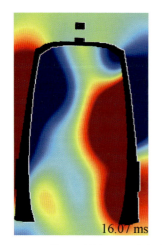
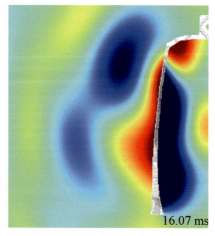

口絵 8 梵鐘からの放射音の様子（DVD A_8.2-1, A_8.2-2 参照）

日本音響学会 編
The Acoustical Society of Japan

音響サイエンスシリーズ **14**

FDTD法で視る音の世界

豊田政弘
編著

坂本慎一　横田考俊
朝倉　巧　長谷芳樹
細川　篤　木村友則
青柳貴洋　田原麻梨江
竹本浩典　土屋健伸
鶴　秀生
共著

コロナ社

音響サイエンスシリーズ編集委員会

編集委員長
富山県立大学
工学博士　平原　達也

編集委員

上智大学
博士(工学)　　荒井　隆行

熊本大学
博士(工学)　　苣木　禎史

小林理学研究所
博士(工学)　　土肥　哲也

関西大学
博士(工学)　　豊田　政弘

日本電信電話株式会社
博士(工学)　　廣谷　定男

同志社大学
博士(工学)　　松川　真美

金沢工業大学
博士(芸術工学)　山田　真司

(五十音順)

(2014年6月現在)

刊行のことば

　音響サイエンスシリーズは，音響学の学際的，基盤的，先端的トピックについての知識体系と理解の現状と最近の研究動向などを解説し，音響学の面白さを幅広い読者に伝えるためのシリーズである。

　音響学は音にかかわるさまざまなものごとの学際的な学問分野である。音には音波という物理的側面だけでなく，その音波を受容して音が運ぶ情報の濾過処理をする聴覚系の生理学的側面も，音の聴こえという心理学的側面もある。物理的な側面に限っても，空気中だけでなく水の中や固体の中を伝わる周波数が数ヘルツの超低周波音から数ギガヘルツの超音波までもが音響学の対象である。また，機械的な振動物体だけでなく，音を出し，音を聴いて生きている動物たちも音響学の対象である。さらに，私たちは自分の想いや考えを相手に伝えたり注意を喚起したりする手段として音を用いているし，音によって喜んだり悲しんだり悩まされたりする。すなわち，社会の中で音が果たす役割は大きく，理科系だけでなく人文系や芸術系の諸分野も音響学の対象である。

　サイエンス（science）の語源であるラテン語の *scientia* は「知識」あるいは「理解」を意味したという。現在，サイエンスという言葉は，広義には学問という意味で用いられ，ものごとの本質を理解するための知識や考え方や方法論といった，学問の基盤が含まれる。そのため，できなかったことをできるようにしたり，性能や効率を向上させたりすることが主たる目的であるテクノロジーよりも，サイエンスのほうがすこし広い守備範囲を持つ。また，音響学のように対象が広範囲にわたる学問分野では，テクノロジーの側面だけでは捉えきれない事柄が多い。

　最近は，何かを知ろうとしたときに，専門家の話を聞きに行ったり，図書館や本屋に足を運んだりすることは少なくなった。インターネットで検索し，リ

刊行のことば

ストアップされたいくつかの記事を見てわかった気になる。映像や音などを視聴できるファンシー（fancy）な記事も多いし，的を射たことが書かれてある記事も少なくない。しかし，誰が書いたのかを明示して，適切な導入部と十分な奥深さでその分野の現状を体系的に著した記事は多くない。そして，書かれてある内容の信頼性については，いくつもの眼を通したのちに公刊される学術論文や専門書には及ばないものが多い。

音響サイエンスシリーズは，テクノロジーの側面だけでは捉えきれない音響学の多様なトピックをとりあげて，当該分野で活動する現役の研究者がそのトピックのフロンティアとバックグラウンドを体系的にまとめた専門書である。著者の思い入れのある項目については，かなり深く記述されていることもあるので，容易に読めない部分もあるかもしれない。ただ，内容の理解を助けるカラー画像や映像や音を附録 CD-ROM や DVD に収録した書籍もあるし，内容については十分に信頼性があると確信する。

一冊の本を編むには企画から一年以上の時間がかかるために，即時性という点ではインターネット記事にかなわない。しかし，本シリーズで選定したトピックは一年や二年で陳腐化するようなものではない。まだまだインターネットに公開されている記事よりも実のあるものを本として提供できると考えている。

本シリーズを通じて音響学のフロンティアに触れ，音響学の面白さを知るとともに，読者諸氏が抱いていた音についての疑問が解けたり，新たな疑問を抱いたりすることにつながれば幸いである。また，本シリーズが，音響学の世界のどこかに新しい石ころをひとつ積むきっかけになれば，なお幸いである。

2014 年 6 月

音響サイエンスシリーズ編集委員会

編集委員長　平原　達也

まえがき

「音って目に視えへんから難しいんやろなぁ」。大学院生になってしばらくした頃に，友人になんの勉強をしているのかと尋ねられ，音の勉強をしていると答えた後にその友人から返ってきた言葉である。なるほど目に視えないから難しいのか，と妙に納得したのが音場の可視化に興味をもった理由の一つである。もう一つの理由は，単に研究成果として画が派手だったからである。研究室のゼミでいろんな論文に触れる中，カラーの３次元可視化画像などが出てくると，「おぉ，最先端の研究っぽいなぁ」などとワクワクしていたことが思い出される。後になって，これらは興味をもつきっかけに過ぎなかったと感じることになるのだが，それでもやはり，いまこうして本書を執筆することになったのだから，そのきっかけは大切だったのであろう。

大学院生当時，集合住宅における床衝撃騒音を低減するための遮音構造開発をテーマに研究を行っており，床に力を加えたときの放射音を予測する必要があった。そこで採用した計算法は周波数領域のものであったが，なんとか放射音場の可視化を行いたいと思い，大量の参照点での伝達関数をフーリエ逆変換するとともに加振源の特性をたたみ込み，すべての点の時間応答を求めた。そして，それらを順々に読み込んで各時刻の分布を一枚一枚画像として保存し，最後にその多数の画像から一つの動画ファイルを完成させた。計算も含め，相当な時間を費やした記憶がある。信号処理の知識が十分でなかったために加振がはじまる前から場にはうっすらと音圧が存在していたが，でき上がった動画はなめらかに動き，床に見立てた板部分から音波が放射される様子をいちおうは観測できた。達成感はあったが，動画を見て，ふと気づいた。「これ視ても，どんなピッチの音がどんだけ聞こえるか，ぜんぜんわからへん」。結局，この可視化結果は学位論文には掲載したが，原著論文として発表することはなかっ

た。

　このエピソードは，場を観測することの重要性を認識できていなかったための，いわば失敗談である．いまでは，白黒で描かれた1本のグラフが派手な可視化結果の何倍も重要となる場合があることを知っており，また，場を可視化しないと重要な情報が欠落する可能性があることも知っている．極端な例ではあるが，自由空間中に置かれた逆位相の音を発する二つの点音源の中央にマイクロフォンを設置し，そこで観測された情報から，「この空間では音が鳴っていない」と結論付けることはナンセンスであろう．場を可視化することによって，どこに観測点を設けるべきかを検討することが可能となるわけである．

　話を戻すと，大学院生の頃，周波数応答から可視化結果を得るために多大な労力を費やしたわけだが，その後，学部生の頃に読んだ1編の論文を思い出した．本書の著者でもある横田考俊氏と坂本慎一先生の論文であり，FDTD法を用いて音場を解析したものであった．この解析手法を用いれば床衝撃による放射音場をもっと簡単に可視化できるのではないかと思い，当時の指導教官であった京都大学の高橋大弐先生に相談したところ，「差分法は微分方程式さえ立式できればなんでも解けるよ」といわれ，また，FDTD法で床衝撃騒音を解析した例があるかどうかを尋ねたところ，「僕は知らないなぁ」との返答であったため，ではトライしてみようかと参考文献を探しはじめた．

　床衝撃騒音を予測するには，空気だけでなく固体も解析できなければならない．固体振動を扱ったFDTD法の文献を検索した結果，現富山大学の佐藤雅弘先生の論文を見つけ，拝読した後，佐藤先生に質問のメールを送ったところ，最終的には「弾性FDTD法の研究会をつくりたいから片棒を担いでください」とお誘いを受けることになった．こうして発足した「弾性問題解析のためのFDTD法研究会」により，約3年の期間をかけ，FDTD法のなんたるかをはじめとし，その多岐にわたる適用性や実践的なプログラミング方法を伝授していただいた．なお，本書の著者である細川篤先生，青柳貴洋先生，田原麻梨江先生，土屋健伸先生もこの研究会のメンバーであった．先生方のご指導のおかげで何編かの論文を発表することができ，それでさらに多くのFDTD法

研究者の方々と面識をもてるようになった。いま思えば，佐藤先生にメールを送ったことが，その後の研究のための大きな一歩であった。

さて，時間領域解法，すなわち，時々刻々の変化を直接計算する解法であるFDTD法は場の可視化を実現するのに適した手法の一つであり，また，計算精度を確保するのに多少の工夫が必要であるものの，単純で汎用性が高く，幅広い分野に応用が可能である。そのため，音響学だけを見ても非常に多くの分野で利用されている。本書は，FDTD法を用いて，音にまつわるさまざまな現象を目に視える形で表現した研究成果をまとめたものである。波動としての音の基本的な現象にはじまり，建築音響，騒音振動，超音波，アコースティックイメージング，聴覚，音声，水中音響，音楽音響といったさまざまな分野の可視化結果を紹介している。

音響学に携わって間もない方々，特定の分野で経験を積まれた方々，解析に悩みを抱えていらっしゃる方々，いずれの方々にも，なにかしらの新たな知識や発見を提供できるものと思われる。もしくは，「画が派手だなぁ」とだけ感じていただいても，それが読者の方々のなにかのきっかけとなれば，これほど幸せなことはない。付録DVDには，そのきっかけからさらに一歩踏み出すための一助となるよう，動画や音源に加えてサンプルプログラムも収録している。ぜひともご自身でFDTD法の手軽さと面白さを味わっていただきたい。

最後に，本書出版の機会を与えてくださった日本音響学会サイエンスシリーズ編集委員会の平原達也委員長，ならびに，委員の皆様，コロナ社，また，お忙しい中ご執筆をいただいた著者の皆様，内容に関して熱心にご議論をいただいた皆様に心より御礼を申し上げたい。

2015年10月

豊田 政弘

執筆分担

豊田政弘	1章, 2章, 4.3節, 8.2節, 付録A
坂本慎一	3.1節, 3.3節, 4.1節
横田考俊	3.2節
朝倉　巧	4.2節, 4.3節
長谷芳樹	5.1節, 付録B, 付録C
細川　篤	5.1節
木村友則	5.2節
青柳貴洋	5.3節
田原麻梨江	5.3節
竹本浩典	6章
土屋健伸	7章
鶴　秀生	8.1節

目　　　次

──── 第 1 章　FDTD 法の概要 ────

1.1 計　算　方　法 ………………………………………………… 2
　1.1.1 支　配　式 ……………………………………………… 2
　　1.1.2 差　分　近　似 ……………………………………… 5
　　　1.1.3 時　間　発　展 …………………………………… 9
　　　　1.1.4 音　　　源 …………………………………… 10
　　　　　1.1.5 境　界　条　件 …………………………… 12
　　　　　　1.1.6 安　定　条　件 ………………………… 14
1.2 特　　　徴 ……………………………………………………… 16
　1.2.1 数　値　分　散　性 ……………………………………… 16
　　1.2.2 周　波　数　特　性 …………………………………… 17
　　　1.2.3 構　造　格　子 ……………………………………… 18
　　　　1.2.4 閉　領　域　解　法 …………………………… 19
　　　　　1.2.5 陽　解　法 …………………………………… 20
　　　　　　1.2.6 並　列　計　算 ……………………………… 21
　　　　　　　1.2.7 汎　用　性 ……………………………… 22
　　　　　　　　1.2.8 可視化・可聴化 ………………………… 22
引用・参考文献 ……………………………………………………… 24

──── 第 2 章　音の諸現象のシミュレーション ────

2.1 散　　　乱 ……………………………………………………… 27
2.2 回　　　折 ……………………………………………………… 31
2.3 干　　　渉 ……………………………………………………… 33
2.4 屈　　　折 ……………………………………………………… 35

2.5	共　　　　鳴	39
2.6	放　　　　射	42
	引用・参考文献	46

第3章　響きのシミュレーション

3.1	ホ　ー　ル	47
	3.1.1　ホールの概要	48
	3.1.2　音響設計の経緯	49
	3.1.3　計算精度の確認	55
3.2	鳴　き　竜	59
	3.2.1　本地堂内部空間をモデル化した3次元FDTD解析	60
	3.2.2　鳴き竜現象のメカニズムの可視化	65
3.3	車　室　内	69
	3.3.1　車室における境界条件の与え方	69
	3.3.2　車室のインパルス応答解析	73
	引用・参考文献	75

第4章　不快な音のシミュレーション

4.1	道　路　騒　音	78
	4.1.1　遮音壁	79
	4.1.2　掘割・半地下道路	82
	4.1.3　半地下道路の2.5次元解析	84
4.2	窓　の　遮　音	86
	4.2.1　ガラス板の遮音解析モデル	86
	4.2.2　透過音のシミュレーション	89
	4.2.3　板ガラスの種類による透過音の変化	92
4.3	固　体　音	97

4.3.1	小規模建物の固体音解析 ………………………………	99
4.3.2	大規模建物の振動解析 …………………………………	107

引用・参考文献 …………………………………………………… 111

第5章　聞こえない音のシミュレーション

5.1　骨中の超音波伝搬・人体内の波動伝搬 ………………… 113
　5.1.1　実際の骨のモデルを用いたシミュレーション ……… 114
　5.1.2　数値シミュレーションの特色を利用したさまざまな解析 …… 119
　5.1.3　人体モデルのシミュレーション ……………………… 123
5.2　探　　　　　傷 ……………………………………………… 125
　5.2.1　シミュレーションの必要性 …………………………… 125
　5.2.2　シミュレーションモデル ……………………………… 126
　5.2.3　斜　角　探　傷 ……………………………………… 126
　　5.2.4　斜角探傷のシミュレーション例 …………………… 127
　　5.2.5　ハイブリッドモデル ………………………………… 130
　　5.2.6　ハイブリッドFDTD法のシミュレーション例 ……… 131
5.3　超音波顕微鏡 ………………………………………………… 134
　5.3.1　可変線集束超音波顕微鏡 ……………………………… 135
　5.3.2　シミュレーションモデル ……………………………… 137
　5.3.3　計　算　結　果 ……………………………………… 140
引用・参考文献 …………………………………………………… 142

第6章　聞く・話すのシミュレーション

6.1　頭　　と　　耳 ……………………………………………… 147
　6.1.1　HRTFと音像定位 ……………………………………… 147
　6.1.2　正中面におけるHRTFのピーク・ノッチのパタン …… 149
　6.1.3　正中面におけるHRTFのピーク生成のメカニズム …… 152
　6.1.4　正中面におけるHRTFのノッチ生成のメカニズム …… 156

6.2 声　　　　道 …………………………………………………………… *159*
　　6.2.1 母音生成のメカニズム ……………………………………… *159*
　　6.2.2 声道伝達関数の計算とその精度検証 ……………………… *161*
　　6.2.3 声道伝達関数のピークの成因 ……………………………… *163*
　　6.2.4 声道伝達関数のディップの成因 …………………………… *167*
引用・参考文献 …………………………………………………………… *171*

第 7 章　水中音のシミュレーション

7.1 海洋内の音波伝搬 …………………………………………………… *174*
　　7.1.1 深海域と浅海域の音波伝搬の特徴 ………………………… *176*
　　7.1.2 浅海域の音波伝搬解析 ……………………………………… *177*
　　7.1.3 浅海域の未固結海底堆積層と遷移層 ……………………… *182*
　　7.1.4 遷移層を有する浅海音波伝搬 ……………………………… *182*
　　7.1.5 遷移層を有する浅海域での受波パルス波の特徴 ………… *184*
7.2 音 響 レ ン ズ ………………………………………………………… *186*
　　7.2.1 音響レンズの設計と形状・材質 …………………………… *188*
　　7.2.2 音響レンズの集束音場解析 ………………………………… *189*
　　7.2.3 音響レンズの集束音場の周波数特性 ……………………… *191*
　　7.2.4 音響レンズの集束音場の入射角度特性 …………………… *194*
引用・参考文献 …………………………………………………………… *198*

第 8 章　楽器音のシミュレーション

8.1 木　　　　琴 …………………………………………………………… *200*
　　8.1.1 振動解析モデル ……………………………………………… *201*
　　8.1.2 断面積が一様でない影響 …………………………………… *204*
　　8.1.3 振動の実測値との比較 ……………………………………… *206*
　　8.1.4 放射音の可聴化 ……………………………………………… *208*
8.2 梵　　　　鐘 …………………………………………………………… *210*

　　　　8.2.1　形状と媒質定数 …………………………………………… 211
　　　　8.2.2　実測と加振力波形 ………………………………………… 213
　　　　8.2.3　可 視 化 結 果 …………………………………………… 214
　　　　8.2.4　実測との比較と考察 ………………………………………… 216
　引用・参考文献 …………………………………………………………… 219

付　　　　録 …………………………………………………… 221

付録 A.　C 言語/Fortran のサンプルプログラム …………………… 221
付録 B.　Scilab/MATLAB のサンプルプログラム ………………… 226
　　B.1　シミュレーションモデルの変更 ……………………………… 228
　　B.2　音源の周波数の変更 …………………………………………… 228
　　　B.3　カラーマップの選択 ………………………………………… 229
　　　　B.4　絶対値表示と符号付き表示 ……………………………… 230
　　　　B.5　画像ファイルの保存 ……………………………………… 231
付録 C.　JavaScript のサンプルプログラム ………………………… 231
引用・参考文献 …………………………………………………………… 233

索　　　　引 …………………………………………………… 234

動画・音源・サンプルプログラムについて

　2015 年の初版第 1 刷発行時には動画・音源・サンプルプログラムを収録した DVD 付の書籍として発行しました。しかし，2023 年現在においては，DVD を含む光学ドライブがないノートパソコンが主流となっており，読者（ユーザー）の便宜を考慮し，初版第 2 刷からは DVD コンテンツを Web からダウンロードする方法に変更することとしました。

DVD コンテンツのダウンロードは以下の URL より行ってください。
https://www.coronasha.co.jp/static/download/01334/FDTD_dvd.iso
ID：corona　　パスワード：510411

ダウンロードした FDTD_dvd.iso をダブルクリックで開きます。
フォルダ内の index（.html）をダブルクリックすると，ブラウザが開き，使い方の説明を含むページを見ることができます。

※その他の事項については，右ページに記載の初版第 1 刷の「付録 DVD について」
　をご覧ください。

付録 DVD について

1. はじめに

　付録 DVD には,「FDTD 法で視る音の世界」で紹介されたデモンストレーションのファイルが収められています。本書の内容と照らし合わせながら,デモンストレーションを視聴していただくことにより,本書の内容に対する理解をより深めていただけます。

　DVD ドライブを搭載したコンピュータのブラウザ・ソフトウェアを使用し,画面上でファイル名をお選びいただくことで,動画・画像・音声ファイルを視聴することができます。例えば,付録 DVD 内で「Animation_3.1-1_Haricot2D_without_diffuser.mpg」と表示されているファイルは,本書中で「💿 A_3.1-1」と簡略化して表記しています。同様に,ファイル名にある「Sound」「Image」は,本書中では「S」「I」と簡略表記しています。画面上のファイル名をクリックしても動画が正常に再生されない場合には,FDTD_dvd の中の contents フォルダ内にある当該ファイルに直接アクセスし,ダブルクリックして開いてください。

2. 使い方

(1) 付録 DVD をコンピュータにセットします。ファイルが自動的に開かない場合は,FDTD_dvd という DVD のアイコンをダブルクリックして開きます。

(2) FDTD_dvd の中の,index (.html) というファイルをダブルクリックすると,ブラウザが開き,使い方の説明を含むページを見ることができます。

(3) ブラウザが開かないときは,適当なブラウザを立ち上げてから,付録 DVD の index (.html) を読み込むようにしてください。

3. 再生時の音量に関する注意

　音量を上げすぎると耳や再生装置に悪影響を与えるおそれがあります。最初は音量を控えめに設定し,試し聞きをしながら徐々に適切な音量に調節してください。

4. 再生装置に関する注意

　音の再生には十分に優れた特性をもつ再生装置をお使いください。特にノートパソコンの内蔵スピーカや,ディスプレイ内蔵のスピーカでは,再生可能な周波数範囲が不足していることが多く(低い周波数の音が十分に再生されない場合がある),デモンストレーションの一部が聴きとれない場合がありますので,ステレオ用のヘッドフォンまたはイヤフォンをお使いになることをおすすめいたします。

5. 著作権に関する注意

付録 DVD に収録された内容すべての著作権は，日本音響学会および著者に帰属し，著作権法によって保護され，その利用は個人の範囲に限られます。

特に，付録 DVD に収録された動画・画像・音声ファイルのネットワークへのアップロードや他人への譲渡，販売，コピー，改変などを行うことは一切禁じます。

6. 収録内容を使用した結果に関する責任

付録 DVD に収録された内容を使用した結果に対して，コロナ社および制作者は一切の責任を負いません。なお，開封されますと，本書の返品は無効となりますのでご注意ください。

第1章
FDTD 法の概要

　FDTD 法（finite-difference time-domain method，**時間領域有限差分法**）は，もともと電磁波の支配式であるマクスウェル方程式を解くために，Yee[1]†によって開発された数値解析手法の一つである。有限差分法とは，微分方程式中の微分係数を有限個の離散値を用いた差分商で近似する解析手法の総称であり，FDTD 法もその一種であるが，時間領域で行う有限差分法をすべて FDTD 法と呼ぶかというとそうではない。**スタガードグリッド**（staggered grid）と呼ばれるたがい違いの格子上に離散的に定義された物理量を時間発展的に交互に計算する**リープフロッグアルゴリズム**（leap-frog algorithm，蛙跳び差分アルゴリズム）を用いた有限差分法を特に FDTD 法と呼ぶ。

　有限差分法全体で見れば，そのおもな適用分野は流体工学や熱工学であるが，FDTD 法は波動工学に適用されることが多い。電磁波の分野で FDTD 法が開発された約 10 年後には，地震動の解析を目的として Madariaga[2] によって弾性波に適用された。その後もさまざまな分野で応用され，近年では**音波**（sound wave）の分野でも幅広く利用されている。本章では，2 章以降の解析結果がどのようにして得られたかを知るための基礎的な知識を提供するために，1.1 節では音波を対象とした FDTD 法の原理や具体的な計算方法を紹介し，1.2 節では利点や欠点などを含めた FDTD 法の特徴について述べる。

---

† 肩付数字は各章末の引用・参考文献番号を表す。

1.1 計 算 方 法

1.1.1 支 配 式

物体に力を加えるとその物体は運動するが，これは空気でも同様である。ただし，ここでいう空気とは，窒素分子や酸素分子などの空気の構成要素そのものを指すわけではなく，多数の分子が内在する微小な体積を指し，それを一つの物体と見なしたものである。この微小体積を**空気粒子**（air particle）と呼ぶ。空気粒子に力を加えれば，空気粒子はその力によって運動し，その挙動は**ニュートンの第2法則**（Newton's second law），すなわち，**運動方程式**（motion equation）で記述される。一方で，空気粒子を圧縮，もしくは，膨張させると，もとの体積に戻ろうとする力がはたらく。このように，変形するともとの形状に戻ろうとする性質を**弾性**（elasticity）と呼ぶ。弾性には，圧縮膨張のような体積変化をともなうものと，**ずれ**（shear，**せん断**）のような体積変化をともなわないものがあるが，空気や水のような**流体**（fluid）は体積変化をともなわない変形に関して弾性をもたない。この点が**固体**（solid）との大きな違いの一つである。なお，流体がもつ圧縮膨張に関する弾性の程度は**体積弾性率**（bulk modulus）という値で表現される。

空気粒子に加わる力は，その空気粒子が別の物体と接していない場合，周囲の空気粒子から受ける圧力である。この圧力は，周囲の空気粒子の運動による**動圧**（dynamic pressure）と運動によらない**静圧**（static pressure）からなり，前者を**音圧**（sound pressure），後者を**大気圧**（atmospheric pressure）と呼ぶ。いい換えれば，音圧は大気圧を基準とした際の圧力変化量を表しており，そのため，正負両方の値をとる。空気の弾性と，その質量に起因する**慣性**（inertia）により音圧が正負交互に振動し，それが周囲の空気粒子につぎつぎと伝わって波動となったものが音波である。一方，時間的にも空間的にも変化が十分にゆるやかな大気圧は，空気粒子のすべての面に均等に加わるため，その空気粒子の運動に影響を与えない。なお，音波の伝搬する空間を**音場**（sound field）と

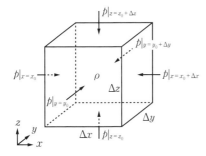

図 1.1　空気粒子に加わる力

呼ぶ．

さて，図 1.1 のように x, y, z の直交座標空間に寸法がそれぞれ Δx, Δy, Δz〔m〕で**密度**（density）が ρ〔kg/m^3〕の空気粒子があり，各面に音圧 p〔N/m^2〕が加わっている状態を考える．大気圧は運動に影響を与えないため，ここでは考慮しない．この空気粒子の x, y, z 方向の**変位**（displacement）をそれぞれ u_x, u_y, u_z〔m〕とする．このとき，Δx が微小量であることを考慮すれば，x 方向の運動方程式は

$$\rho \Delta x \Delta y \Delta z \frac{\partial^2 u_x}{\partial t^2} = p|_{x=x_0} \Delta y \Delta z - p|_{x=x_0+\Delta x} \Delta y \Delta z$$

$$\leftrightarrow \rho \frac{\partial^2 u_x}{\partial t^2} = \frac{1}{\Delta x} \left(p|_{x=x_0} - p|_{x=x_0+\Delta x} \right)$$

$$\leftrightarrow \rho \frac{\partial^2 u_x}{\partial t^2} = \frac{1}{\Delta x} \left\{ p|_{x=x_0} - \left(p|_{x=x_0} + \frac{\partial p}{\partial x} \Delta x \right) \right\}$$

$$\leftrightarrow \rho \frac{\partial^2 u_x}{\partial t^2} = -\frac{\partial p}{\partial x} \tag{1.1}$$

となる．y 方向，z 方向についても同様であるので，

$$\rho \frac{\partial^2 u_y}{\partial t^2} = -\frac{\partial p}{\partial y}, \tag{1.2}$$

$$\rho \frac{\partial^2 u_z}{\partial t^2} = -\frac{\partial p}{\partial z} \tag{1.3}$$

が成り立つ．

また，図 1.2 のように空気粒子の各面の変位を考え，Δx, Δy, Δz が微小量

1. FDTD 法 の 概 要

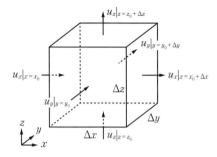

図1.2 空気粒子各面の変位

であることを考慮すれば，空気粒子の体積の増分 ΔV 〔m³〕は

$$\Delta V = \left(u_x \mid_{x=x_0+\Delta x} - u_x \mid_{x=x_0} \right) \Delta y \Delta z$$
$$+ \left(u_y \mid_{y=y_0+\Delta y} - u_y \mid_{y=y_0} \right) \Delta z \Delta x$$
$$+ \left(u_z \mid_{z=z_0+\Delta z} - u_z \mid_{z=z_0} \right) \Delta x \Delta y$$
$$\leftrightarrow \Delta V = \left\{ \left(u_x \mid_{x=x_0} + \frac{\partial u_x}{\partial x} \Delta x \right) - u_x \mid_{x=x_0} \right\} \Delta y \Delta z$$
$$+ \left\{ \left(u_y \mid_{y=y_0} + \frac{\partial u_y}{\partial y} \Delta y \right) - u_y \mid_{y=y_0} \right\} \Delta z \Delta x$$
$$+ \left\{ \left(u_z \mid_{z=z_0} + \frac{\partial u_z}{\partial z} \Delta z \right) - u_z \mid_{z=z_0} \right\} \Delta x \Delta y$$
$$\leftrightarrow \Delta V = \left(\frac{\partial u_x}{\partial x} + \frac{\partial u_y}{\partial y} + \frac{\partial u_z}{\partial z} \right) \Delta x \Delta y \Delta z \tag{1.4}$$

と表される。

　一方，断熱変化を仮定すれば，音圧と体積変化率の関係は，**理想気体**（ideal gas）の**状態方程式**（state equation）から，体積弾性率 κ〔N/m²〕を介して，

$$p = -\kappa \frac{\Delta V}{V} \tag{1.5}$$

と表される。ここで，V〔m³〕は変形前の体積である。なお，体積弾性率と密度，および，**音速**（sound speed）c〔m/s〕には

$$\kappa = \rho c^2 \tag{1.6}$$

の関係がある。さて，式 (1.4) を式 (1.5) に代入すれば

$$p = -\kappa \frac{\left(\dfrac{\partial u_x}{\partial x} + \dfrac{\partial u_y}{\partial y} + \dfrac{\partial u_z}{\partial z}\right)\Delta x \Delta y \Delta z}{\Delta x \Delta y \Delta z}$$

$$\leftrightarrow p = -\kappa\left(\frac{\partial u_x}{\partial x} + \frac{\partial u_y}{\partial y} + \frac{\partial u_z}{\partial z}\right) \tag{1.7}$$

となり，これを音圧に関する**連続方程式**（continuity equation）と呼ぶ．式 (1.1) 〜 (1.3) の運動方程式，および，式 (1.7) の連続方程式が空気粒子の運動と変形を支配する方程式となる．

1.1.2 差分近似

FDTD 法では式 (1.1) 〜 (1.3)，(1.7) を**支配式**（governing equation）として音波の解析を行う．まず，これらのすべての式を 1 階の偏微分方程式とするために，式 (1.7) の両辺を時間微分するとともに，変位の時間微分を**粒子速度**（particle velocity）に置き換える．x, y, z 方向の粒子速度をそれぞれ v_x, v_y, v_z〔m/s〕とすれば，解くべき支配式は

$$\rho \frac{\partial v_x}{\partial t} = -\frac{\partial p}{\partial x}, \tag{1.8}$$

$$\rho \frac{\partial v_y}{\partial t} = -\frac{\partial p}{\partial y}, \tag{1.9}$$

$$\rho \frac{\partial v_z}{\partial t} = -\frac{\partial p}{\partial z}, \tag{1.10}$$

$$\frac{\partial p}{\partial t} = -\kappa\left(\frac{\partial v_x}{\partial x} + \frac{\partial v_y}{\partial y} + \frac{\partial v_z}{\partial z}\right) \tag{1.11}$$

と変形される．

さて，音圧や粒子速度は空間や時間に関して連続的に変化するが，計算機では残念ながら連続な関数を扱うことが不可能である．そこで，空間や時間をある単位で区切り，その区切りごとの離散的な値を用いることで連続な関数を近似する．このように，空間や時間を単位で区切ることを**離散化**（discretization）と呼ぶ．また，空間に関する区切り幅を**空間離散化幅**（spatial interval），時間に関する区切り幅を**時間離散化幅**（time interval），区切りごとの離散的な値を

定めた点を**参照点**(reference point)と呼ぶ。なお，離散化を行い，計算機で解を求めることを**数値解析**(numerical analysis)と呼び，そうして得られた解を**数値解**(numerical solution)と呼ぶ。一方，連続な関数を数学的に厳密に取り扱って得られた解を**解析解**(analytical solution)と呼ぶ。

FDTD法における音圧の離散化は，2次元音場の場合であれば，**図1.3**の最上段，中央，および，最下段に示した面のようになる。図中の黒丸の点が音圧の参照点であり，x，y方向に隣り合う参照点間の距離がそれぞれ空間離散化幅Δx，Δyとなる。図の縦方向は時間的変化を表しており，その離散間隔が時間離散化幅Δtである。一方，粒子速度に関しては，図の2段目，4段目のように，空間について$\Delta x/2$，$\Delta y/2$，時間について$\Delta t/2$だけ音圧の参照点からずらして離散化する。このように，空間的にも時間的にも音圧と粒子速度の参照点をたがい違いに配置した格子をスタガードグリッドと呼ぶ。図中，2,3段目から4段目へ，また，3,4段目から5段目へ数本の線が引かれているが，これらについては1.1.3項で触れる。

つづいて，3次元音場の離散化を考える。時間的なずれの表現を省略し，一つの音圧参照点とそれを囲む粒子速度参照点の空間的な配置のみを表したもの

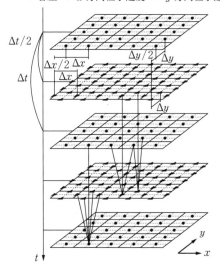

図1.3　スタガードグリッド
（2次元音場）

を図1.4に示す。これを，開発者の名前をとって，**Yeeセル**（Yee cell）と呼ぶ。ただし，便宜上，図には隣り合うYeeセルの音圧参照点もあわせて記載している。ここで，x, y, z方向に関して何番目の音圧参照点であるかを，i, j, kを用いて表すこととする。すなわち，空間離散化幅Δx, Δy, Δzが一定であれば，参照点の座標は$x = (i-0.5)\Delta x + x_{\min}$, $y = (j-0.5)\Delta y + y_{\min}$, $z = (k-0.5)\Delta z + z_{\min}$〔m〕であり，この$i$, j, kを**空間ステップ**（spatial step）と呼ぶ。$x_{\min}$, $y_{\min}$, $z_{\min}$〔m〕は対象とする空間のそれぞれの軸方向座標の最小値である。粒子速度参照点は音圧参照点からそれぞれ空間離散化幅の半分ずつずれた位置にあるため，図に示すように音圧の空間ステップに±0.5を付して表現する。時間に関しても同様に，何番目の時間参照点であるかを，nを用いて表すこととする。すなわち，時間離散化幅Δtが一定であれば，時刻は$t = (n-0.5)\Delta t$〔s〕であり，このnを**時間ステップ**（time step）と呼ぶ。以後，空間ステップがi, j, kで時間ステップがnの音圧の値を$p^n(i,j,k)$〔N/m²〕，空間ステップが$i+0.5$, j, kで時間ステップが$n+0.5$のx方向粒子速度の値を$v_x^{n+0.5}(i+0.5,j,k)$〔m/s〕などと表記する。

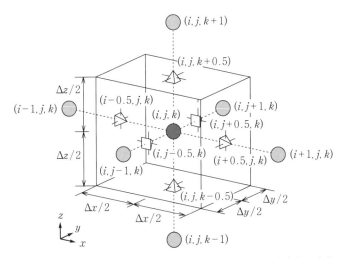

図1.4　Yeeセル（3次元音場）

1. FDTD 法 の 概 要

さて,上述の離散化にともない,例えば,式 (1.8) の右辺にある x に関する偏微分係数を

$$\left.\frac{\partial p}{\partial x}\right|_{x=x_0} = \lim_{\Delta x \to 0} \frac{p|_{x=x_0+\frac{\Delta x}{2}} - p|_{x=x_0-\frac{\Delta x}{2}}}{\Delta x} \approx \frac{p|_{x=x_0+\frac{\Delta x}{2}} - p|_{x=x_0-\frac{\Delta x}{2}}}{\Delta x} \tag{1.12}$$

のように差分商を用いて近似する。このような**差分近似**(finite-difference approximation)の方法を**中心差分スキーム**(central difference scheme)と呼ぶ。Δx が十分小さい場合にこの近似が有効となるが,中心差分スキームを用いた近似精度については 1.2.1 項で触れる。図 1.4 の配置に式 (1.12) を適用すると,空間ステップ $i+0.5, j, k$ の位置,時間ステップ n の時刻について,式 (1.8) は

$$\rho \frac{v_x^{n+0.5}(i+0.5,j,k) - v_x^{n-0.5}(i+0.5,j,k)}{\Delta t} = -\frac{p^n(i+1,j,k) - p^n(i,j,k)}{\Delta x} \tag{1.13}$$

と近似できる。このように,スタガードグリッドを用いることで,空間微分にも時間微分にも式 (1.12) と同様の近似を用いることが可能となる。これが FDTD 法の最も特徴的な点の一つであろう。同様にして,式 (1.9) 〜 (1.11) は

$$\rho \frac{v_y^{n+0.5}(i,j+0.5,k) - v_y^{n-0.5}(i,j+0.5,k)}{\Delta t} = -\frac{p^n(i,j+1,k) - p^n(i,j,k)}{\Delta y}, \tag{1.14}$$

$$\rho \frac{v_z^{n+0.5}(i,j,k+0.5) - v_z^{n-0.5}(i,j,k+0.5)}{\Delta t} = -\frac{p^n(i,j,k+1) - p^n(i,j,k)}{\Delta z}, \tag{1.15}$$

$$\frac{p^{n+1}(i,j,k) - p^n(i,j,k)}{\Delta t} = -\kappa \frac{v_x^{n+0.5}(i+0.5,j,k) - v_x^{n+0.5}(i-0.5,j,k)}{\Delta x}$$

$$-\kappa \frac{v_y^{n+0.5}(i,j+0.5,k) - v_y^{n+0.5}(i,j-0.5,k)}{\Delta y}$$

$$-\kappa \frac{v_z^{n+0.5}(i,j,k+0.5) - v_z^{n+0.5}(i,j,k-0.5)}{\Delta z}$$
(1.16)

と近似される。

1.1.3 時間発展

式 (1.13) 〜 (1.16) において,最も時間ステップが大きい項のみを左辺に残すように変形すると,

$$v_x^{n+0.5}(i+0.5,j,k) = v_x^{n-0.5}(i+0.5,j,k)$$
$$-\frac{\Delta t}{\rho \Delta x}\{p^n(i+1,j,k) - p^n(i,j,k)\}, \quad (1.17)$$

$$v_y^{n+0.5}(i,j+0.5,k) = v_y^{n-0.5}(i,j+0.5,k)$$
$$-\frac{\Delta t}{\rho \Delta y}\{p^n(i,j+1,k) - p^n(i,j,k)\}, \quad (1.18)$$

$$v_z^{n+0.5}(i,j,k+0.5) = v_z^{n-0.5}(i,j,k+0.5)$$
$$-\frac{\Delta t}{\rho \Delta z}\{p^n(i,j,k+1) - p^n(i,j,k)\}, \quad (1.19)$$

$$p^{n+1}(i,j,k) = p^n(i,j,k) - \kappa \frac{\Delta t}{\Delta x}\{v_x^{n+0.5}(i+0.5,j,k) - v_x^{n+0.5}(i-0.5,j,k)\}$$
$$-\kappa \frac{\Delta t}{\Delta y}\{v_y^{n+0.5}(i,j+0.5,k) - v_y^{n+0.5}(i,j-0.5,k)\}$$
$$-\kappa \frac{\Delta t}{\Delta z}\{v_z^{n+0.5}(i,j,k+0.5) - v_z^{n+0.5}(i,j,k-0.5)\}$$
(1.20)

と変形できる。式 (1.17) は,時間ステップ $n-0.5$ を"過去",n を"現在",$n+0.5$ を"未来"の状態と考えれば,空間ステップ $i+0.5, j, k$ の位置の"過去"の v_x の値と,その周囲の"現在"の p の値から,"未来"の v_x の値を求める式と解釈することができる。式 (1.18),(1.19) についても同様である。なお,図 1.3 に,ある位置の"未来"の値を求めるには"現在"と"過去"のどの位置の値が必要となるかを線で表しているので参照されたい。

これらの計算をすべての空間ステップに対して行えば，"過去"の粒子速度分布と"現在"の音圧分布から"未来"の粒子速度分布が得られることになる。つぎに，時間ステップを半ステップ進め，nを"過去"，$n+0.5$を"現在"，$n+1$を"未来"の状態と考えれば，式 (1.20) は，"過去"の音圧分布と"現在"の粒子速度分布から"未来"の音圧分布を求める式と解釈できる。

以上のことから，初期時刻の粒子速度分布と音圧分布の1組さえ既知であれば，以降のそれぞれの分布は式 (1.17)～(1.19) と式 (1.20) を全空間ステップについて交互に計算することで，つぎつぎと新しい時間ステップのものを求めることが可能となる。なお，初期時刻の場の状態を表す条件のことを**初期条件**（initial condition）と呼ぶ。このように，粒子速度の計算と音圧の計算を空間的にも時間的にもたがい違いに行う方法をリープフロッグアルゴリズムと呼ぶ。これも FDTD 法の最も特徴的な点の一つであろう。なお，時間が進むことで場の状態がつぎつぎと変化することを**時間発展**（time evolution）と呼び，上述のように初期状態から時間的な順序を追って場の状態を求めることを**逐次計算**（sequential computation）と呼ぶ。

1.1.4　音　　　　　源

前項までは，**音源**（sound source）からの出力がない状態での支配式の計算方法について述べた。ここでは，音源を FDTD 解析に導入する方法として，二つの考え方を紹介する。

一つ目の方法は，静寂な状態，すなわち，初期条件として粒子速度分布も音圧分布もゼロと見なせる場の，ある1点に音源となる**呼吸体**（pulsating body）を考え，その**体積速度**（volume velocity）を印加する方法である[3]。音源位置を i_d, j_d, k_d，体積速度信号を $Q(t)$ 〔$\mathrm{m^3/s}$〕とすると，式 (1.20) の右辺に音源項を追加して，

$$p^{n+1}(i_d, j_d, k_d) = p^n(i_d, j_d, k_d)$$
$$-\kappa \frac{\Delta t}{\Delta x}\left\{v_x^{n+0.5}(i_d+0.5, j_d, k_d) - v_x^{n+0.5}(i_d-0.5, j_d, k_d)\right\}$$

$$-\kappa\frac{\Delta t}{\Delta y}\left\{v_y^{n+0.5}(i_d, j_d+0.5, k_d) - v_y^{n+0.5}(i_d, j_d-0.5, k_d)\right\}$$

$$-\kappa\frac{\Delta t}{\Delta z}\left\{v_z^{n+0.5}(i_d, j_d, k_d+0.5) - v_z^{n+0.5}(i_d, j_d, k_d-0.5)\right\}$$

$$+\frac{\kappa\Delta t}{\Delta x\Delta y\Delta z}Q^n \tag{1.21}$$

とすればよい。ここで，$Q^n = Q((n-0.5)\Delta t)$ である。ただし，この方法では，$Q(t)$ の**周波数特性**（frequency characteristics）と場に生じる音圧の周波数特性が異なるため，**インパルス応答**（impulse response）などを求めたい場合には注意が必要である。なお，上記は1点のみに音源が置かれた場合であるが，複数の音源を考える場合には，それぞれの音源位置で上記と同様の処理を行えばよい。

もう一つの方法は，音源により生成される，ある瞬間の分布を初期条件として与える方法である。比較的よく用いられる音圧の分布関数として，

$$p^1(i, j, k) = p_{\max}\exp\left\{-\frac{(i-i_d)^2\Delta x^2 + (j-j_d)^2\Delta y^2 + (k-k_d)^2\Delta z^2}{A^2}\right\} \tag{1.22}$$

で表される**ガウシアンパルス**（Gaussian pulse）が挙げられる。ここで，$p_{\max}$ 〔N/m^2〕はパルスの最大値，i_d, j_d, k_d はパルスの中心位置，A〔m〕はパルスの急峻さに関する定数である。ガウシアンパルスの2次元場での分布例を**図1.5**に示す。初期状態の粒子速度分布はゼロとして計算する場合もあるが，音圧分布との適切な組み合わせを考慮した分布を与えることで**音源指向性**

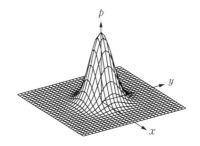

図1.5 ガウシアンパルス

(source directivity）を付与することも可能である[4]。

　以上のように，音源は時間信号，もしくは，空間分布を与えて計算に導入することになるが，いずれの場合においても，あまりに急激な変化，例えば，理想的な**インパルス**（impulse）などを与えた場合には，そこに高周波数成分が含まれるため，1.2.1 項で触れる**数値分散性**（numerical dispersion）により波形が乱れることに注意されたい。その際は，1.1.6 項で述べる解析対象上限周波数を**カットオフ周波数**（cut-off frequency）とする**ローパスフィルタ**（low-pass filter）などにより，数値分散誤差の少ない周波数帯の成分のみを抽出する処理が必要となる。

1.1.5　境界条件

　1.1.3 項では，リープフロッグアルゴリズムを用いて，場の状態を逐次計算する方法を述べた。しかしながら，前述の計算，すなわち，式 (1.17)～(1.20) では更新の対象とする参照点から半ステップずれた点の値が必要となるため，解析対象領域の端に位置する参照点を更新することが不可能である。そのため，解析対象領域の端の参照点の更新には特別な処理が必要であり，この処理を決定付ける条件を**境界条件**（boundary condition）と呼ぶ。簡単のため，**図 1.6** に示すような 1 次元音場を考える。それぞれの参照点の下には，空間ステップ i の値が記されている。このとき，$i=1\sim N$ の音圧と，$i=1.5\sim N-0.5$ の粒子速度については，自身の両端に参照点が存在するため，式 (1.17)，および，v_y, v_z の項を無視した式 (1.20) で更新が可能である。しかし，$i=0.5$ の粒子速度については左側の音圧が，$i=N+0.5$ の粒子速度については右側の音圧が定義されていないため，式 (1.17) では更新ができない。これらを

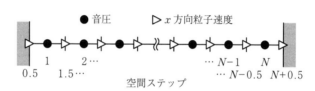

図 1.6　離散化された 1 次元音場

更新するために，ここでは簡便，かつ，使用頻度の高い2種類の境界条件を紹介する．

一つ目に考える境界は**剛体**（rigid body）との境界である．これを**剛な境界**（rigid boundary）と呼ぶ．ここでは，剛体は，十分に硬くて重く，まったく運動しない物体を指し，剛体に空気が接する場合，その境界上の空気も運動しない．すなわち，境界条件は「境界上の粒子速度がつねにゼロ」となる．したがって，もし図1.6の両端がともに剛な境界であれば，すべての時間ステップに対して，

$$v_x^{n+0.5}(0.5) = v_x^{n+0.5}(N+0.5) = 0 \tag{1.23}$$

とすればよい．これにより，すべての位置の音圧と粒子速度が求められることになる．2次元音場や3次元音場でも同様に，境界上に定義された，境界に垂直な方向の粒子速度をゼロとすることで，剛な境界を解析に導入することができる．

剛な境界は音波を完全に反射するが，実際に計算を行いたい場では境界が**吸音性**（sound absorption）を有する場合も多い．このような**吸音境界**（sound absorbing boundary）を実装するための方法の一つに**垂直入射表面インピーダンス**（normal incidence surface impedance）を用いる方法がある．この表面インピーダンス z_n 〔Ns/m^3〕は面上の点の音圧をその面に垂直に入射する方向の粒子速度で割った値として定義され，**垂直入射吸音率**（normal incidence absorption coefficient）α_n と

$$z_n = \rho c \frac{1 + \sqrt{1-\alpha_n}}{1 - \sqrt{1-\alpha_n}} \tag{1.24}$$

の関係にあるため，表面インピーダンスの値を適当に定めることで，その面に所望の吸音率を与えることが可能となる．この際の境界条件は「境界上の粒子速度がつねにその点の音圧を表面インピーダンスで割った値と等しい」となる．しかしながら，スタガードグリッドを採用するFDTD法では同じ時刻，同じ位置に音圧と粒子速度の参照点が存在しないため，時間的にも空間的にも半ステップずれた点の音圧を用いることでこれを近似する．したがって，もし，図1.6の両端がともに表面インピーダンス z_n の境界であれば，

$$v_x^{n+0.5}(0.5) = -\frac{p^n(1)}{z_n}, \quad v_x^{n+0.5}(N+0.5) = \frac{p^n(N)}{z_n} \tag{1.25}$$

とすればよい。粒子速度の正方向と境界面の向きの関係から，左端では負符号になることに注意されたい。また，このような処理は，すべての**周波数**（frequency）に対して同等の影響をおよぼすため，1.2.2項で述べるように，周波数依存性を考慮することができないことにも注意が必要である。

2次元音場や3次元音場についても，境界上に定義された，境界に垂直な方向の粒子速度について，最近傍の音圧を用いて式 (1.25) の処理を行うことで，吸音境界を解析に導入することが可能である。ただし，表面インピーダンスはあくまで垂直入射に対する値であるため，斜めから音波が入射する場合には，その垂直成分のみに作用することに注意が必要である。また，音圧と表面インピーダンスから求まる粒子速度はその境界面に垂直な方向の値であるため，本来の境界面がスタガードグリッドと平行でない場合には，求めた粒子速度をスタガードグリッドに平行な粒子速度成分に分解するなどの処理が必要となることにも注意されたい[5]（1.2.3項参照）。

1.1.6 安定条件

計算をはじめるためには空間離散化幅と時間離散化幅を決定せねばならないが，これらの値によっては解が発散する場合がある。ここでは，解を発散させないための離散化幅の設定方法の一例を述べる。まず，解析対象とする上限の周波数を決定する。FDTD法では，空間に連続的に分布する波動を参照点の値のみで表現するため，**波長**（wavelength）に対して十分に細かい空間離散化幅を採用せねばならず，一般的には波長の $10 \sim 20$ 分の1程度の細かさが必要とされている。空間離散化幅を決定すれば，必要な計算機のメモリ量と，その計算機を用いた場合の時間離散化1ステップ当りの計算時間を見積もることができる。もし，この時点で必要メモリ量が手もちの資源を超過するようであれば，解析対象上限周波数を下げなければならない。

さて，時間離散化幅は，x 軸の1次元音場の場合には

$$\Delta t \leq \frac{\Delta x}{c}, \tag{1.26}$$

xy 平面の2次元音場の場合には

$$\Delta t \leq \frac{1}{c\sqrt{\dfrac{1}{\Delta x^2}+\dfrac{1}{\Delta y^2}}}, \tag{1.27}$$

3次元音場の場合には

$$\Delta t \leq \frac{1}{c\sqrt{\dfrac{1}{\Delta x^2}+\dfrac{1}{\Delta y^2}+\dfrac{1}{\Delta z^2}}} \tag{1.28}$$

を満たすように決定しなければならない[6]。もし，これらを満足しない時間離散化幅を採用すると，計算が不安定となり，解が発散する。そのため，これらを**安定条件**（stability condition）と呼ぶ。もし，各軸方向の空間離散化幅がすべて等しく，Δh〔m〕であるならば，$C=c\Delta t/\Delta h$ として，式 (1.26)〜(1.28) は

$$C \leq 1, \tag{1.29}$$

$$C \leq \frac{1}{\sqrt{2}}, \tag{1.30}$$

$$C \leq \frac{1}{\sqrt{3}} \tag{1.31}$$

と書き換えられる。この定数 C は**クーラン数**（Courant number），もしくは，**CFL数**（Courant-Friedrichs-Lewy number）と呼ばれ，上記の通り，安定性に大きな影響を与える。さて，式 (1.26)〜(1.28) にしたがって時間離散化幅を決定すれば，求めたい信号の時間長から，逐次計算を行う最大時間ステップ数が算定される。これと時間離散化1ステップ当りの計算時間の積により，解析全体に必要な計算時間を見積もることができる。もし，この時点で全体の計算時間が解析結果を必要とする期限に間に合わないようであれば，時間離散化幅を安定条件の範囲内で大きくしなければならない。さらに，もし，すでに安定条件をぎりぎり満たす時間離散化幅を選択しているのであれば，空間離散化幅の決定からやり直さなければならない。

16   1. FDTD 法 の 概 要

1.2 特　　　　徴

1.2.1 数 値 分 散 性

　FDTD法は微分係数を差分商で近似して数値解を得る方法であるため，必ず計算誤差が生じる。この計算誤差は，おもに空間と時間の離散化によるものと境界の処理によるものであるが，ここでは前者について述べる。1.1節で紹介したYeeセルと2点参照の中心差分スキームを採用する場合，空間離散化幅，時間離散化幅，音波の周波数，および，伝搬方向に依存する誤差が生じる。このような性質を数値分散性と呼ぶ。

　境界がなく無限に広がる空間（free field，**自由空間**）内に，ある周波数の**平面波**（plane wave）が図1.7に示すような角度 ϕ, θ〔°〕で伝搬する場合を考え，空間を立方体のYeeセルで離散化した場合の計算誤差を図1.8に示す。誤

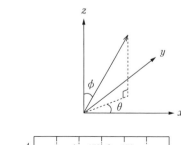

図1.7　伝搬角度の定義

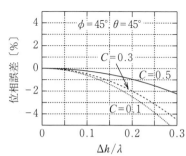

（a）伝搬方向を固定した場合

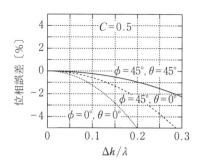

（b）クーラン数を固定した場合

図1.8　位相誤差特性

差の算出方法については文献6)を参照されたい。図1.8(a)は伝搬方向を固定した場合,図(b)はクーラン数を固定した場合である。横軸は $\Delta h/\lambda$ であり,ここで,λ 〔m〕は波長である。すなわち,横軸は波長に対する空間離散化幅の比であり,値が大きいほど空間を粗く離散化していることを表す。縦軸は**位相誤差**(phase error)であり,伝搬音波の位相に関して,真値との相対誤差をパーセントで表示している。なお,振幅に関する誤差は生じない[6]。図(a)を見ると,クーラン数が小さくなるほど,誤差の絶対値が大きくなっていることがわかる。すなわち,時間離散化幅は小さいほどよいというわけではなく,安定条件を満たすぎりぎりの値を採用するほうが誤差は小さくなることを示している。また,図(b)を見ると,伝搬方向が軸方向に近づくほど誤差が大きくなることがわかる。このように,伝搬方向によって誤差の程度が違うということは,解析対象空間に対する軸のとり方によって結果が変化するということを表しており,FDTD法の欠点の一つであるといえる。

数値分散誤差を小さくする方法として,**高次差分スキーム**(high-order difference scheme)[6],[7]や**コンパクト差分スキーム**(compact difference scheme)[8]などが提案されている。ただし,これらのスキームを採用した際には位相誤差特性も変化するため,離散化幅の設定には注意されたい。

1.2.2 周波数特性

音波は一般的に,**媒質**(medium)と周波数に依存して,その伝搬特性が変化する。例えば,代表的な**吸音材**(sound absorber)であるグラスウール中を伝搬する場合,低い周波数の音はあまり減衰しないが,高い周波数の音は比較的早く減衰する。また,境界での反射特性も周波数によって変化する場合が多い。周波数領域解法であれば,複素数の**特性インピーダンス**(characteristic impedance),**伝搬定数**(propagation constant),表面インピーダンスなどを用いることで,各周波数における減衰や反射の程度,および,位相の変化を計算に反映させることができる。しかしながら,FDTD法は,1.1.3項で紹介した通り,実数のみで逐次計算を行う解法である。これは,各時刻の音圧や粒子速

度がどの周波数成分の寄与によるものかを計算の過程で考慮しないことを意味している。したがって，FDTD 法には周波数に依存する伝搬特性や反射特性を直接的に導入することができない。これは，FDTD 法だけでなく，すべての時間領域解法に見られる欠点だと思われる。

　この問題に対し，これまでにさまざまな提案がなされてきた。例えば，伝搬中の減衰に関しては，**摩擦抵抗**（friction）や**粘性抵抗**（viscosity）を支配式に導入する方法が挙げられる[9]〜[11]。これらの方法では，複雑な周波数特性を再現することは難しいが，比較的容易に計算を行うことが可能である。より複雑な周波数特性を生じる媒質を扱う場合には，その媒質を 2 相混合体と見なし，Biot の理論を適用して計算を行うことも考えられる[12]。一方，境界での反射特性については，周波数特性を**フーリエ逆変換**（Fourier inverse transform）し，**因果律**（causality）を満たす時間応答に変換してから，**たたみ込み積分**（convolution）により時間軸上でその特性を再現するというのが基本的な考え方である。しかし，メモリや計算時間の観点から，この方法をそのまま採用することは困難である場合が多い。そこで，**z 変換**（z-transform）や **IIR フィルタ**（infinite impulse response filter）を利用して，効率的な計算を行う手法が提案されている[13],[14]。一方，境界の周波数特性と等価な電気回路や機械系で置き換える手法も提案されている[5],[15]。具体的には RCL 回路や質点系の支配式を音場と同様に離散化して計算し，そこに生じる振動を境界上の音圧と粒子速度の関係に対応させる。この場合，再現できる周波数特性の複雑さはその回路や質点系の複雑さに依存することになるが，複雑にするほど回路や質点系の各パラメータの同定は困難になることが予想される。

1.2.3　構造格子

　FDTD 法は空間を直方体のセルで離散化する。このとき，参照点はそれぞれの座標軸方向に沿って並び，この配置を**構造格子**（structured grid）と呼ぶ。これに起因して，1.2.1 項で示した数値分散誤差を生じることになるが，さらには，計算対象領域の境界が軸に対して垂直でない斜面や曲面である場合に

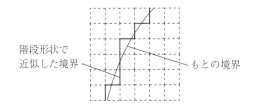

図1.9 形状の階段近似

は，図1.9のようにそれらを階段形状で近似しなければならない。数値分散誤差の関係から，解析対象上限周波数の波長に対して十分に細かいセルを採用することになるとはいえ，形状の簡略化は低周波であっても，特に時間応答波形には影響を与えかねない[16]。さらに，斜面や曲面に設定された境界条件についても，それが階段近似された形状で実現されるよう，適切に処理せねばならない[5]。また，軸のとり方によっても近似形状が変わってしまうため，計算結果も変化することになる。数値分散誤差と同様に，これもFDTD法の欠点の一つである。

FDTD法はその定式化上，必ず構造格子を用いた空間離散化を必要とするが，その制限にとらわれないのが，**有限要素法**（finite element method：**FEM**），**有限体積法**（finite volume method：**FVM**），および，**有限積分法**（finite integration technique：**FIT**）である[17],[18]。これらはいずれも**非構造格子**（unstructured grid）を採用すること，すなわち，四面体などで空間を離散化することが可能であり，その場合，基本的に結果は軸のとり方に依存しない。なお，時間領域の有限体積法や有限積分法で構造格子を採用した場合には，FDTD法と同等の計算を行うことになる。

1.2.4 閉領域解法

FDTD法や有限要素法などは空間を離散化するため，解析対象とする領域を有限にせざるを得ない。すなわち，境界で囲まれた**閉領域**（closed region）しか計算することができない。したがって，自由空間や半無限空間などの**開領域**（open region）を伝搬する音波を解析するためには，境界以降の領域を模擬するための**無反射境界**（non-reflective boundary）を導入する必要がある。しか

しながら，完全に反射をなくすこと，すなわち，完全に音波を吸収することは困難であり，場合によっては，無反射境界が原因で計算対象領域に大きな計算誤差が生じる場合もある。このように，開領域問題への対応に工夫が必要となる点は，FDTD 法や有限要素法などの欠点の一つであろう。なお，**境界要素法**（boundary element method：**BEM**）も基本的には閉領域を対象として定式化がなされるが，Sommerfeld の放射条件や鏡像を考えたグリーン関数を採用することで，開領域にも厳密な形で対応が可能である[17]。

さて，FDTD 法に無反射境界を導入する最も簡便な方法は，1.1.5 項で述べたインピーダンス境界で吸音率を 1 とすることである。ただし，この方法では，境界に斜めに入射する音波に対しては吸音率が 1 ではなくなるため，完全な無反射境界とはならない。吸音率を 1 としたインピーダンス境界よりも反射の少ない境界として，Mur[19]，Higdon[20]，Liao[21]，Randall[22] らも無反射境界を提案しているが，高次の定式化を採用したとしても，やはり斜め入射の音波を完全には吸収することができない。現在，あらゆる方向からの入射に対して最も反射を少なくする方法は Berenger[23] が提案した**完全吸収層**（perfectly matched layer：**PML**）を採用することである。PML は，すべての軸方向について，隣接する媒質と特性インピーダンスが等しく，かつ，伝搬中に波が減衰するような非物理媒質で構成されている。Berenger が提案したのは電磁波用の PML であるが，弾性波用の PML も Chew ら[24] により定式化されている。ただし，PML はインピーダンス境界やそのほかの無反射境界に比べ，多くのメモリと計算時間が必要となることに注意されたい。

1.2.5 陽　解　法

FDTD 法は 1.1.3 項で述べた通り，各参照点の物理量を四則演算のみで逐次計算することができる。このように，求めたい値を直接的に数式で表現できるような解法を**陽解法**（explicit method）と呼ぶ。また，計算に必要な変数や定数がすべて実数であることも特筆すべき点である。これは，FDTD 法のプログラミングが非常に容易であり，いかなるプラットフォームやプログラミング言

語であっても実装に特別なノウハウを必要としないことを意味している．微分係数を差分商に置き換えるだけという定式化方法の簡便さとあわせて，この手軽さがFDTD法の最大の利点であるといえる．

一方，有限要素法や境界要素法では，一般的に変数や定数は複素数であり，さらには，連立方程式を解かなければ値が求まらない**陰解法**（implicit method）である．FDTD法ではプログラム上でこのような複雑な処理を必要としないため，計算誤差の要因が数値分散性と境界処理のみに集約される．このことも計算結果を分析する際の利点といえるであろう．

1.2.6 並列計算

計算負荷の大きい数値解析では，計算時間を短縮するために，複数の計算資源を使用した**並列計算**（parallel computation）を行う場合がある．並列計算には共有メモリ型と分散メモリ型があり，それらを併用することもある．共有メモリ型並列計算とは，**CPU**（central processing unit），もしくは，**GPU**（graphics processing unit）内の複数のコアにそれぞれ別の計算をさせる方法であり，一般的にはそれぞれのコアから同じメモリ空間にアクセスする．CPUの場合は，並列プログラミングを行うための標準化された枠組みであるOpenMPが整備されてきており，比較的容易に実装が可能である．GPUはNVIDIA社が提供する**CUDA**（compute unified device architecture）と呼ばれる開発環境を用いることで利用できるが，GPUの内部構造を把握し，どのメモリにどの変数を格納するかなどの処理をプログラムとして明示的に記述しなければならないため，CPUに比べると実装の難易度は高い．ただし，コアの数がCPUに比べてはるかに多く，適切にチューニングすれば計算速度はCPUの数十倍程度速くなる．一方，分散メモリ型並列計算とは，複数の計算機にそれぞれ別の計算をさせる方法であり，各計算機はそれぞれのメモリ空間にのみアクセスする．そのため，計算機間で情報の受け渡しをするための規格である**MPI**（message passing interface）を利用した物理量やパラメータの共有，および，処理タイミングの同期が必要となる．

FDTD 法においては，各参照点の計算が空間的には独立に行われるため，これらの並列計算との親和性が高い。すなわち，複数のコア，もしくは，複数の計算機に計算対象領域を分割して担当させることで，容易に並列化が可能となる。特に，初歩的な計算を大量にすばやく処理できる GPU との相性がよい[25), 26)]。なお，複数の GPU を用いる場合など，分散メモリ型並列計算を行う際には，上述の MPI などを利用して，分割領域の境界付近の音圧や粒子速度を各計算機間で受け渡す必要がある[27)]。

1.2.7 汎　用　性

差分法は微分係数を差分商で近似して定式化を行うため，支配式が微分方程式で表現される場であれば，線形・非線形を問わず，同様の考え方で計算が可能な場合が多い。支配式の立式さえできれば，**異方性**（anisotropy）も考慮できる[28)]。また，空間の各参照点で逐次計算を行うため，それぞれの計算の際にパラメータを自在に変化させることが可能である。すなわち，空間的な**不均質性**（heterogeneity）をもつ媒質や，時間的にパラメータが変化する場合などにも容易に対応が可能である。したがって，空気のような流体中の波だけでなく，固体や 2 相混合体中[12)]の波も同じ方法で扱うことができ，それらの連成も容易である[11), 29)]。このような汎用性の高さは差分法の一つである FDTD 法の利点の一つである。例えば，不均質な媒質を扱う場合，境界要素法では均質な領域ごとに支配式を立て，それらを連成した方程式をつくる必要があるため，空間的に徐々にパラメータが変化する媒質などの解析は実用上不可能と思われる。一方，時間領域の有限要素法や有限体積法であれば，FDTD 法と同等の利点をもつこととなる。

1.2.8 可視化・可聴化

FDTD 法に限らず，時間領域解法はその性質上，すべての参照点の物理量を逐次求めることになる。したがって，各時間ステップの物理量分布をデータとして書き出すことで，容易に場が**可視化**（visualization）される。GPU を用い

ることで，計算結果をリアルタイムで表示することも可能であり[30]，また，一般的な一断面の分布表示はもちろんのことながら，複数断面に透過度を与えて同時に表示したり[30]，ボリュームレンダリング[31]を行うことで3次元的な分布を可視化する方法も提案されている。一方，ある参照点の物理量を，時間ステップを追って順に書き出せば，その点の時間応答波形が得られる。それを再生可能な振幅とサンプリング周波数に変換することで，容易に波形が**可聴化**（auralization）される。

このような特性を生かし，GPUによる並列計算（1.2.6項参照）を活用したリアルタイム可聴化システム"シリコンコンサートホール"の実現を目指した研究が進められており，その要素技術の一つとして，"音空間レンダリング"が提案されている[32]。そこでは，標準的なFDTD法にさらなる工夫を凝らした **CE-FDTD法**（compact explicit finite-difference time-domain method）[33] が採用されており，大規模空間への適用可能性が示唆される。スピーカアレイを用いた立体音響再生技術との連携[32]や任意形状入力への対応[34]などについても着実な成果を挙げており，今後の展開が注目される。

さて，周波数領域解法でも，得られた周波数応答をフーリエ逆変換することで時間応答に変換できるため，上述の特性は一見すると大きな利点には感じられないかもしれない。しかしながら，周波数応答からフーリエ逆変換を行う際，基本的にはローパスやバンドパスなどのフィルタリングが必要になるが，因果律を満たしていないフィルタを採用すれば正確な時間応答が得られず，因果律を満たせば遅延が発生してしまう。支配式についても同様のことがいえ，特に，減衰特性を周波数領域で任意に与える場合には，その物理モデルが因果律を満たしているかどうかに注意されたい。また，**フーリエ変換**（Fourier transform），および，逆変換の制限を考えれば，逆変換後の時間応答波形は十分に収束していなければならない。これはすなわち，減衰のない閉領域の解析ではフーリエ逆変換による厳密な時間応答波形の作成が困難であることを示している。減衰があったとしても，収束する時刻が不明の場合には，計算すべき周波数間隔を事前に決定することができないことになる。したがって，パルス

性音源や衝撃加振時の音圧時間応答のピーク値を算出したい場合，周波数領域での解析からこれを求めようとすると，波形が収束するまでの全時間応答を算出せねばならないが，時間領域解法であればピークが観測される時刻まで計算をすれば十分である。

引用・参考文献

1) K. S. Yee：Numerical solution of initial boundary value problems involving Maxwell's equations in isotropic media, IEEE Trans. Antennas Propag., **AP-14**, pp.302-307（1966）
2) R. Madariaga：Dynamics of an expanding circular fault, Bull. Seis. Soc. Am., **66**(3), pp.163-182（1976）
3) 鶴　秀生，岩津玲磨：差分法によるインパルス応答の効率的計算手法，日本音響学会春季研究発表会講演論文集，pp.1055-1018（2009-03）
4) 鹿野　洋，フスティーチャバ，坂本慎一，横山　栄：FDTD法における音源の指向性制御を用いたインパルス応答の合成，日本音響学会春季研究発表会講演論文集，pp.1221-1222（2010-03）
5) S. Sakamoto, H. Nagatomo, A. Ushiyama, and H. Tachibana：Calculation of impulse responses and acoustic parameters in a hall by the finite-difference time-domain method, Acoust. Sci. Tech., **29**(4), pp.256-265（2008）
6) S. Sakamoto：Phase-error analysis of high-order finite difference time domain scheme and its influence on calculation results of impulse response in closed sound field, Acoust. Sci. Tech., **28**(5), pp.295-309（2007）
7) M. F. Hadi and M. Piket-May：A modified FDTD (2, 4) scheme for modeling electrically large structures with high phase accuracy, IEEE Trans. Antennas Propag., **45**, pp.254-264（1997）
8) S. K. Lele：Compact finite difference schemes with spectral-like resolution, J. Comput. Phys., **103**(1), pp.16-42（1992）
9) F. Iijima, T. Tsuchiya, and N. Endoh：Analysis of characteristics of underwater sound propagation in the ocean by a finite difference time domain method, Jpn. J. Appl. Phys., **39** Part 1 (5B), pp.3200-3204（2000）
10) H. Suzuki, A. Omoto, and K. Fujiwara：Treatment of boundary conditions by finite difference time domain method, Acoust. Sci. Tech., **28**(1), pp.16-26（2007）

11) M. Toyoda and D. Takahashi : Prediction for architectural structure-borne sound by the finite-difference time-domain method, Acoust. Sci. Tech., **30**(4), pp.265-276 (2009)

12) A. Hosokawa : Simulation of ultrasound propagation through bovine cancellous bone using elastic and Biot's finite-difference time-domain methods, J. Acoust. Soc. Am., **118**(3), pp.1782-1789 (2005)

13) D. M. Sullivan : A frequency-dependent FDTD method using Z transforms, IEEE Trans. Antennas Propag., **40**, pp.1223-1230 (1992)

14) J. Escolano, F. Jacobsen, and J. Lopez : An efficient realization of frequency dependent boundary conditions in an acoustic finite-difference time-domain model, J. Sound Vib., 316, pp.234-247 (2008)

15) 千葉　修, 柏　達也, 霜田英麿, 鏡　慎, 深井一郎：リープフロッグアルゴリズムに基づく時間依存差分法による音場解析, 日本音響学会誌, 49(8), pp.551-562 (1993)

16) 奥園　健, 大鶴　徹, 富来礼次, 今井達也, 岡本則子：時間領域有限要素法による室内音場解析に関する研究―室形状モデリングに関する基礎的検討―, 日本音響学会建築音響研究会資料, AA2010-16 (2010-04)

17) 日本建築学会編：音環境の数値シミュレーション―波動音響解析の技法と応用―, 丸善 (2011)

18) 中畑和之：イメージベースモデリングによる超音波伝搬シミュレーション, 日本音響学会誌, 67(7), pp.273-278 (2011)

19) G. Mur : Absorbing boundary conditions for the finite difference approximation of the time domain electromagnetic-field equation, IEEE Trans. Electromagnetic Compat., **EMC**-23(4), pp.377-382 (1981)

20) R. L. Higdon : Absorbing boundary conditions for acoustic and elastic waves in stratified media, J. Comput. Phys., **101**(2), pp.368-418 (1992)

21) Z. P. Liao, H. L. Wong, B.-P. Yang, and Y.-F. Yuan : A transmitting boundary for transient wave analyses, Scientia Sinica, **Ser. A** 27(10), pp.1063-1076 (1984)

22) C. J. Randall : Absorbing boundary condition for the elastic wave equation : Velocity-stress formulation, Geophysics, 54(9), pp.611-624 (1989)

23) J.-P. Berenger : A perfectly matched layer for the absorption of electromagnetic waves, J. Comput. Phys., 114(2), pp.185-200 (1994)

24) W. C. Chew and Q. H. Liu : Perfectly matched layer for elastodynamics : a new absorbing boundary condition, J. Comput. Acoust., 4(4), pp.341-359 (1996)

25) 青木尊之, 額田　彰：はじめてのCUDAプログラミング, 工学社（2009）
26) 土屋隆生：Graphics Processing Unit を用いた音場の高速並列計算, 日本音響学会誌, **69**(2), pp.75-80（2013）
27) 土屋健伸, 遠藤信行：並列演算FDTD法のアルゴリズムの紹介, J. Marine Acoust. Soc. Jpn., **33**(4), pp.1-10（2006）
28) M. Toyoda, H. Miyazaki, Y. Shiba, A. Tanaka, and D. Takahashi：Finite-difference time-domain method for heterogeneous orthotropic media with damping, Acoust. Sci. Tech., **33**(2), pp.77-85（2012）
29) M. Toyoda, D. Takahashi, and Y. Kawai：Averaged material parameters and boundary conditions for the vibroacoustic finite-difference time-domain method with a nonuniform mesh, Acoust. Sci. Tech., **33**(4), pp.273-276（2012）
30) 河田直樹, 大久保寛, 田川憲男, 土屋隆生, 石塚　崇：CUDAとOpenGLを用いた三次元音響数値解析のGPGPUリアルタイム可視化：PMCC（Permeable Multi Cross-section Contours）の提案と評価, 電子情報通信学会論文誌A. 基礎・境界, **J94-A**(11), pp.854-861（2011）
31) M. Levoy：Display of surfaces from volume data, IEEE Trans. Computer Graphics Applications, **8**(3), pp.29-37（1988）
32) 土屋隆生, 岩谷幸雄, 大谷　真, 井口　寧：音空間レンダリング技術の開発〜シリコンコンサートホールの実現に向けて〜, 電子情報通信学会技術報告, EA2012-127（2013-01）
33) K. Kowalczyk and M. Walstijn：Room acoustics simulation using 3-D compact explicit FDTD schemes, IEEE Trans. Audio Speech and Lang. Process., **19**(1), pp.34-46（2011）
34) 土屋隆生, 岩谷幸雄, 大谷　真：音空間レンダリングとその今後, 電子情報通信学会ソサイエティ大会講演論文集2014年基礎・境界, AI-1-4（2014-09）

第2章
音の諸現象のシミュレーション

　1.1.1項で紹介したように，音波は空気の弾性と慣性により音圧が正負交互に振動し，それが周囲の空気粒子につぎつぎと伝わる波動である。波動は，音波や地震のP波のように媒質の振動方向と波の伝搬方向が平行である**縦波**（longitudinal wave）と，電磁波や地震のS波のように媒質の振動方向と波の伝搬方向が垂直である**横波**（transverse wave）に分けられるが，いずれの波動も共通してもつ性質がある。これを**波動性**（wave nature）と呼ぶ。なお，弾性波の縦波は**疎密波**（compressional wave, dilatational wave），横波は**せん断波**（shear wave）とも呼ばれる。

　本章では，音が波動性をもつことによって生じるさまざまな現象を可視化した結果を紹介する。2.1節では**散乱**（scattering），2.2節では**回折**（diffraction），2.3節では**干渉**（interference），2.4節では**屈折**（refraction），2.5節では**共鳴**（resonance），そして，2.6節では固体からの音の**放射**（radiation）について，解析の際に注意すべき点を述べるとともに，できる限り現象そのものを表す可視化結果を紹介する。なお，本章で紹介する可視化結果はすべて2次元場の解析結果である。

2.1　散　　　乱

　壁に向かって音を発すると，その音波は壁に当たって返ってくる。このように，音波は異なる媒質との境界（例えば，空気と壁材の境界）に到達すると，はね返る。これを**反射**（reflection）と呼ぶ。もし，その境界が平坦であれば音波の**入射角**（incident angle）と**反射角**（reflection angle）は等しくなる。この場合の反射を特に**鏡面反射**（specular reflection）と呼ぶ。一方，境界が平坦でない場合には，音波は鏡面反射せず，さまざまな方向に分かれて反射する。

これを散乱と呼び，さらに，散乱した音波が場に広がることを**拡散**（diffusion）と呼ぶ。ただし，境界が平坦でないからといって，入射波のすべての成分が散乱されるわけではない。その程度は境界の大きさと入射波の波長との関係によって決まり，一般に，周波数が低いほど散乱しにくく，高いほど散乱しやすい。ここでは，平面波を平坦な境界に入射させた場合の鏡面反射の様子と，平面波を三角形が連なって並んだ形状の境界に入射させた場合の散乱の様子について可視化した結果を紹介する。

じつは，標準的なFDTD法では平面波を取り扱うことが簡単ではない。FDTD法では，2次元音場の場合，平面波源を**線音源**（line source）の列として表現することになるが，計算対象領域が有限であるため，平面波源の"端"が生じてしまうことがその原因である。この平面波源の"端"は，隣に平面波を構成するための音源がないため，円筒状の**波面**（wave front）を生じさせてしまう。したがって，ここでは垂直入射を想定した図2.1のような条件と45°入射を想定した図2.2の条件を考える。いずれも平面波源の"端"の影響が観測領域に到達するまでに，所望の時間応答が得られるよう音源を配置している。また，反射境界はすべて剛な境界とする。

平坦な境界に平面波が垂直入射，および，45°入射した際の可視化結果を図2.3（●**A_2.1-1**，**A_2.1-2**）に示す。先に述べた通り，平面波は鏡面反射し，

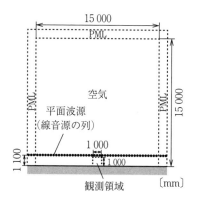

図2.1　平面波垂直入射用の計算条件

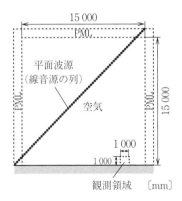

図 2.2 平面波 45°入射用の計算条件

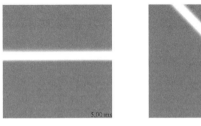

（a） 垂直入射　　　　　　（b） 45°入射

図 2.3 平坦な境界に平面波が入射した場合

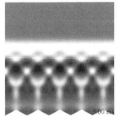

（a） 垂直入射　　　　　　（b） 45°入射

図 2.4 三角形状の境界に平面波が入射した場合

その入射角と反射角が等しい様子が見てとれる．一方，三角形状の境界に平面波が垂直入射，および，45°入射した際の可視化結果を図 2.4（**A_2.1**-3，**A_2.1**-4）に示す．三角形状は底辺 200 mm，高さ 50 mm の二等辺三角形と

し，これを図2.1，および，図2.2の平坦な境界上に隙間なく並べた。鏡面反射と同様の反射波が返り，その後に散乱した音波がつづく様子が見てとれる。上述したように，低い周波数成分は散乱しにくく，高い周波数成分は散乱しやすい。今回の例のように周期的な境界の場合であれば，境界の周期と入射角度によって散乱する最小の周波数が決まる[1]。

さて，図2.4（b）に着目すると，散乱した音波は離散的な円筒状の波面の重ね合わせとなっていることがわかる。この円筒状の波面が生成される要因を定性的にとらえるため，**図2.5**に示すような45°の傾斜をもつ三角形状の境界に平面波が45°入射する状況を考える。この場合，片側の傾斜面には音波が垂直入射することになる。反射波面の形状をより理解しやすくするため，図（a）に太線で示された入射波面のみを取り出して考察する。図（b）に示すように傾斜面に到達した入射波は反射されるとともに，傾斜面右端の三角形状の頂点では2.2節で紹介する回折が生じ，図（c）のような反射波面が形成される。つづいて，図（d）のように反射波が広がると，今度は左側の三角形状の頂点で回折し，図（e），（f）に示すように少し形のくずれた円筒状の波面が生成される。この波面が離散的な一定時間間隔でそれぞれの三角形状について生じるため，図2.4に見られるような散乱波面が観測されることになる。

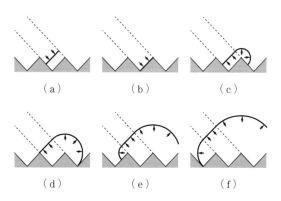

図2.5　45°入射時の三角形状の境界からの反射波面

2.2 回　　折

　見通しの悪い曲がり角の向こう側から話し声が聞こえることがある。このように，姿は見えない（光が届かない）のに声が聞こえる（音が届く）ことは日常よく経験することであろう。2.1節で紹介した通り，音波は違う媒質との境界で反射するが，境界の端ではその背後に回り込むように伝搬する。これを回折と呼ぶ。ここでは，自由空間内に設置された厚さの無視できる剛な**半無限障壁**（semi-infinite barrier）を音源から伝搬した音波が回折する様子について可視化した結果を紹介する。

　1.2.4項で述べた通り，FDTD法で自由空間を再現するためには，無反射境界を導入せねばならない。ここでは，PMLを採用してこれを実現するが，その際，**図2.6**のように障壁を解析対象領域内にだけ設置すると，PMLを介して音波が障壁背後に伝搬してしまう。したがって，今回のような解析を実現するためには，**図2.7**のように，解析対象領域に設置された障壁につづく形でPML内にも障壁を設置した条件を考えなければならない。なお，PMLの内外に関わらず，厚さの無視できる剛な障壁は，その障壁が設置された面上（2次元場であれば線上）に定義される。障壁に対して垂直な粒子速度をゼロとすれ

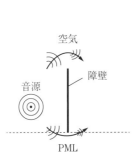

図2.6　PMLを介する回折波

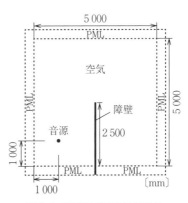

図2.7　障壁回折場の計算条件

ばよい。

音源に 250，500，1 k，2 k，4 k，8 k Hz の**純音**（pure tone）を想定した場合の約 15 ms 経過後の可視化結果を図 2.8（🅐 A_2.2-1～A_2.2-6）に示す。いずれの周波数においても音源の**音響出力**（acoustic power）を一定としているため，各図間での音圧の比較が可能である。これより，低い周波数ほど障壁を回り込む音圧が大きく，高い周波数ほど音圧が小さくなっていることが見てとれ，低い周波数の音波ほど回折しやすいことがわかる。光も波動であるので回折するが，光の周波数は音と比較して非常に高く，その回折の程度は音とは比べ物にならないほど小さい。そのため，本節の冒頭に述べたように姿は見えないのに声が聞こえるといった現象が起こる。

図 2.8　障壁回折場の様子

2.3 干　　渉

複数の波が同じ場所に到達した際，それらの波は衝突せずに重ね合わされ，強め合ったり，弱め合ったりする。例えば，同じ**振幅**（amplitude）で**逆位相**（opposite phase）の**パルス**（pulse）が逆方向から同じ点に到達した場合には，両者がちょうどその点に達したときには重ね合わされてゼロになるが，その後はまた，何事もなかったかのようにパルスとしてそれぞれの伝搬をつづける。このように，波には**重ね合わせの原理**（superposition principle）が成り立ち，それによってたがいの振幅を強め合ったり，弱め合ったりする現象を干渉と呼ぶ。ここでは，光が**干渉縞**（interference fringe）を形成することを示したヤングの実験を音波で模した可視化結果について紹介する。

図 2.9 のように，二つのスリットをもつ薄い壁を想定する。解析対象領域の外側には PML を設置し，2.2 節と同様に PML 内にも壁を延長する。音源は 500 Hz の純音である。図 2.10（◉ A_2.3-1）に可視化結果を示す。壁の左側領域内で二つのスリットから等距離の位置に音源を設置すれば，スリットを通り抜ける音波が**同位相**（coordinate phase）となる。スリットを通り抜けた音波が重なる右側領域では，二つのスリットからの距離の差 ΔL が半波長 $\lambda/2$ の偶数倍（波長の整数倍）となる点で両者が強め合い，半波長の奇数倍となる

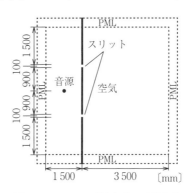

図 2.9　ヤングの干渉実験の計算条件

34   2. 音の諸現象のシミュレーション

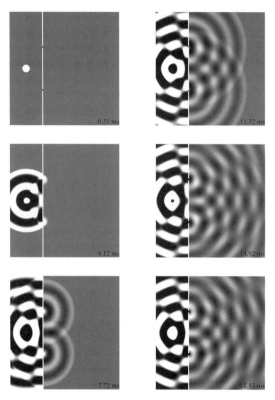

図 2.10 ヤングの干渉実験の様子

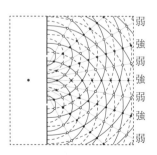

図 2.11 干渉縞の生成

点で弱め合う。そのため，**図 2.11** のように，解析領域の右端に着目すれば，強め合う点と弱め合う点が交互に現れ，縞模様を形成する。一方，図 2.10 の左側領域に着目すれば，こちら側でも音源から出る音波と，壁からの反射波が

干渉している様子が見られる。音源の壁に対して対称な位置に**虚音源**（image source）を考えれば，音源と虚音源からの距離の差によって，右側領域と同様に縞模様が形成される。

2.4 屈 折

　媒質を伝わる音波の**位相速度**（phase velocity）を音速と呼ぶが，この音速は媒質によってさまざまに変化する。2.1節で述べたように異なる媒質との境界に音波が到達すると反射するが，入射波が伝搬してきた媒質と異なる媒質の側にも音波が伝搬する。これを**透過**（transmission）と呼ぶ。このとき，異なる媒質では音速が違うため，入射波と透過波では音波伝搬のふるまいが異なる。すなわち，入射波と透過波の伝搬方向と波長が変化する。これを屈折と呼ぶ。その変化を最も顕著に観察できる例が平面波入射の場合であり，ここでは，空気と空気より音速が遅い媒質が接している場合，および，空気より音速が速い媒質が接している場合の平面波の伝搬を可視化する。また，屈折が原因で夏の昼間や冬の夜中に起こる現象を可視化する。

　まず，平面波の屈折を紹介しよう。2.1節と同様に平面波源の"端"の影響を避けるよう**図2.12**のような状況を考える。最下層の媒質は空気より音速が遅い，もしくは，速い媒質である。入射波と透過波の伝搬方向の変化は $c_i \sin\theta_t = c_t \sin\theta_i$ で表されるスネルの法則によって決まる。ここで，c_i，c_t はそれぞれ入射側，および，透過側媒質の音速，θ_i，θ_t はそれぞれ入射角度，および，透過角度である。ここでは，$c_i = 343.5$ [m/s]，$\theta_i = 45$ [°] とし，最下層の媒質の音速は $c_t = 242.9$ [m/s]，および，$c_t = 420.7$ [m/s] とする。これらの音速はそれぞれ $\theta_t = 30$ [°]，および，$\theta_t = 60$ [°] を想定してスネルの法則から決定したものである。なお，密度は空気と同じ値としている。

　透過側媒質の音速が遅い場合，および，速い場合の可視化結果を**図2.13**（💿 **A_2.4-1**，**A_2.4-2**）に示す。図中では媒質の境界を破線で表示している。図（a）を見ると，入射平面波が境界に到達したところから反射波と透過波がそ

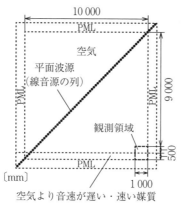

図 2.12　平面波屈折場の計算条件

（a）　$\theta_t = 30$ 〔°〕の場合　　　（b）　$\theta_t = 60$ 〔°〕の場合

図 2.13　平面波屈折場の様子

れぞれ入射側，および，透過側の媒質に伝搬していく様子が見てとれる。透過波は屈折し，伝搬角度が 30°に変化するとともに，パルスの幅がせまく，すなわち，波長が短くなっていることがわかる。また，反射波は入射波と逆位相となっている。ここでは，両媒質で密度が等しいため，音速が遅いということは体積弾性率が小さいということを意味する。したがって，入射側から見た媒質境界が**自由境界**（free boundary）に近い状態となり，反射波が逆位相となる。一方，図（b）を見ると，透過波の伝搬角度が 60°に変化し，波長は長くなっ

ていることがわかる。また，反射波は入射波と同位相となっている。これは，透過側媒質の体積弾性率が大きく，入射側から見た媒質境界が**固定境界**（fixed boundary）に近い状態となっているためである。

つぎに，屈折が原因で生じる，実環境での現象を模した例を紹介する。暑い夏の昼間，遠くに見つけた友人に声をかけたのにその声が届かなかったり，寒い冬の夜中，遠いところにある線路から普段は聞こえない鉄道走行音が聞こえたりした経験はないだろうか？夏の昼間は地面付近の気温が高く，上空にいくほど気温が低くなる傾向がある。逆に，冬の夜中は地面付近の気温が低く，上空にいくほど気温が高くなる傾向がある。温度が変化すると，同じ媒質であっても音速が変化する。例えば，空気の温度による音速変化は $c = 331.5 + 0.6\,T$ 〔m/s〕で表現される。ここで，T〔℃〕は気温である。すなわち，夏の昼間は上空にいくほど音速が遅く，冬の夜中はその逆となる。

このような状況での音波伝搬の様子を模するため，**図 2.14** のような状況を考える。夏を模した計算では，図の第1層から第4層までの音速を，343.5，323.5，303.5，283.5 m/s とし，冬を模した計算では，343.5，363.5，383.5，403.5 m/s とした。比較のため，第1層の音速を同じにしている。**図 2.15**（●**A_2.4-3**，**A_2.4-4**）の左列に夏を模した可視化結果，右列に冬を模した可視化結果を示す。上空にいくほど音速が遅くなる夏の場合は，音波の伝搬方向が上空方向に傾くため，第1層の右端に到達する音波が弱まるのに対し，上空に

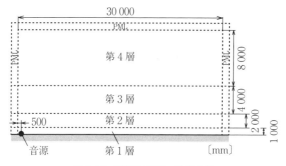

図 2.14 積層屈折場の計算条件

38   2. 音の諸現象のシミュレーション

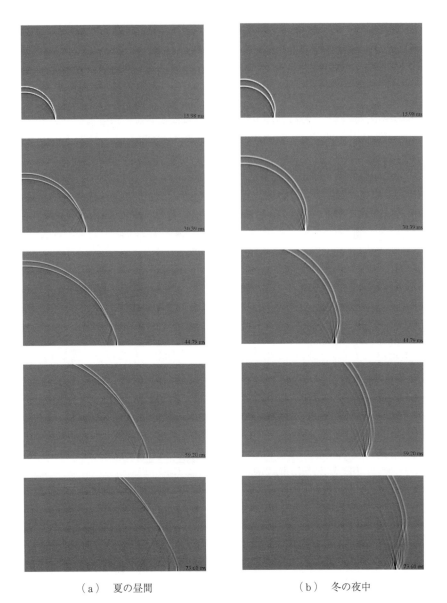

(a) 夏の昼間   (b) 冬の夜中

図 2.15 積層屈折場の様子

いくほど音速が速くなる冬の場合は，音波の伝搬方向が地面方向に傾くため，第 1 層の右端にも強い音波が伝搬する様子が見てとれる．

2.5 共　　　　鳴

　空のビンの口もとに息をフーッと吹きかけて，ポーという音を鳴らした経験はないだろうか？ポーという音はビンの中の空気がその周波数で特に強く振動しているために発せられた音である．吹きかけられた息によりビンの口もとで**渦**（vortex）が生じ，その渦がビンの中の空気を励振する．励振の周波数はさまざまであるが，その中のある特定の周波数のみで空気は特に強く振動し，音を発する．このように，物理量がある特定の周波数で激しく振動することを**共振**（resonance），その特定の周波数を**共振周波数**（resonance frequency）と呼ぶ．共振という言葉は**バネ**（spring）による振動や電気回路などのさまざまな対象に対して使われるが，ここでは音の共振に絞って述べることとする．**可聴域**（audible frequency range）の共振を特に共鳴，共振周波数を共鳴周波数と呼ぶ．なお，共振は**固有振動**（natural vibration, eigenvibration），共振周波数は**固有振動数**（natural frequency, eigenfrequency）とも呼ぶ．

　共鳴にもいくつかの種類があるが，空気のみの場で生じる共鳴に限れば，基本的には $(\omega^2 - \omega_n^2)v = f$ という形に帰着される**系**（system）において，$\omega = \omega_n$ となるときが共鳴状態である．ここで，ω〔rad/s〕は**角周波数**（angular frequency），ω_n〔rad/s〕は**共鳴角周波数**（resonance angular frequency），v〔m/s〕は粒子速度分布，f は外力に関わる分布関数〔N/m^{2}s〕である．f がゼロ以外の値をとるとき，共鳴状態では f の値によらず v が無限大となる．例えば，**図 2.16** に示すような状況では共鳴が生じる．

　図 2.16（a）～（c）は，片側開口管内の粒子速度に関して，**定在波**（standing wave）が生じている状態を表している．なお，音圧の分布に関しては 6.2.2 項の図 6.16 を参照されたい．このように，波長に対して十分に小さい断面をもつ管内に 1 次元的な定在波が生じている状態を**気柱共鳴**（air-column

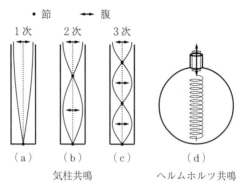

図 2.16　気柱共鳴とヘルムホルツ共鳴

resonance）と呼ぶ．共鳴が生じているときの節と腹の分布を**モード**（mode）と呼び，節と腹の数が少ないものから順に 1 次モード，2 次モード，…などと呼ぶ．この気柱の長さを変えると，それにともなって内部に生じる定在波の波長も変わり，共鳴周波数が変化する．気柱を長くすれば共鳴周波数は低くなり，逆に短くすれば共鳴周波数は高くなる．

　一方，気柱の断面分布を変化させることによっても，共鳴周波数は変化する．断面積の大小変化と共鳴周波数の高低変化の関係は，断面を変化させる場所や着目するモードによって違うため，長さ変化の場合のような単純な説明をすることはできないが，一例を挙げると，開口付近の断面積を小さくすれば，1 次モードの共鳴周波数は下がる．

　さて，気柱の長さを短くするとともに，開口付近の断面積を小さくすると，その 1 次モードの共鳴周波数の波長が気柱の長さより十分長いと見なせる状態となる．このときの共鳴を特に**ヘルムホルツ共鳴**（Helmholtz resonance）と呼び，断面積を小さくした開口付近の部分を**ネック**（neck），それ以外の部分を**胴**（cavity）と呼ぶ．ヘルムホルツ共鳴では，ネックの形状が一定であれば，胴の形状が変わっても，その容積が変わらなければ，共鳴周波数はほとんど変化しない．これは，胴の寸法が共鳴周波数の波長に対して十分小さく，胴内部の音圧分布がほぼ一定となることに起因する．このときに生じている現象

は，図 2.16（d）に示すように，胴内の空気をバネ，また，ネック部分の空気のかたまりを**マス**（mass，質量）とした 1 自由度の**バネ-マス系**（mass-spring system）でもモデル化することができ，その共鳴周波数が胴の容積とネックの形状に依存していると見なすことが可能となる。なお，胴内の空気のみに着目すると，その空気は全体として圧縮膨張振動する節や腹をともなわない共鳴状態にあると考えることができるため，このときの胴内の分布を 0 次モードと表現する場合もある。以下に，ヘルムホルツ共鳴の可視化結果を紹介する。

図 2.17 に計算条件を示す。音源には約 250 Hz をカットオフ周波数とするガウシアンパルスを与える。2 次元音場の解析であるため，図 2.16（d）とは違い，背後に大きな空洞をもつスリットを想定していることになるが，基本的なふるまいはヘルムホルツ共鳴と同じである。ネックは一定の寸法であるが，背後の空洞のサイズを 50 mm 角（図中，点線），100 mm 角（図中，実線），200 mm 角（図中，破線）と変化させた場合の可視化結果を**図 2.18**（◉ **A_2.5-1 ～ A_2.5-3**）にそれぞれ示す。動画をご覧いただければ音源からの入射，および，反射の後に，ネック上部から空洞のサイズに応じた周波数の音波が放射される様子が見てとれる。空洞のサイズが小さいほど高く，大きいほど低い周波数で共鳴が生じていることがわかる。

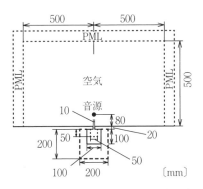

図 2.17　ヘルムホルツ共鳴場の計算条件

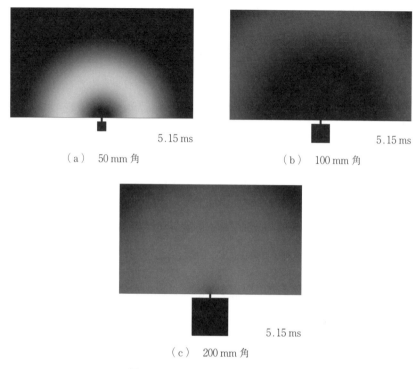

(a) 50 mm 角　　5.15 ms

(b) 100 mm 角　　5.15 ms

(c) 200 mm 角　　5.15 ms

図 2.18　ヘルムホルツ共鳴場の様子

2.6　放　　　射

　弦楽器（string instrument）や打楽器（percussion instrument）などは，固体に力を加えて音を発生させる楽器（musical instrument）である。力を加えられた固体が振動し，その固体に接する空気が励振されることによって音が生じる。このように，固体が振動することによって，その周囲の空気を振動させ，音を生じさせる現象を音響放射（acoustic radiation）と呼ぶ。好ましい音でいえば楽器音（instrument sound），好ましくない音でいえば固体音（structure-borne sound，固体伝搬音）が音響放射を代表する例であろう。こ

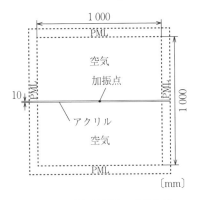

図 2.19 音響放射場の計算条件

の音響放射現象を数値的に解析するためには，空気の振動と固体の振動の両方を取り扱う必要があることから，本書で紹介する FDTD 法や有限要素法，もしくは，有限要素法と境界要素法の併用法などを用いなければならない。本節で紹介する例は 4.3 節でも採用している手法を用いて計算したものである。

ここでは，音響放射の基本的な例を可視化しよう。図 2.19 のような状況を考える。板は厚みを 10 mm とし，素材としてアクリル（密度 1 150 kg/m^3，ヤング率 5.6×10^9 N/m^2，ポアソン比 0.3）を想定している。図中の**加振点**（excitation point）に下向きの力を加えた場合と右向きの力を加えた場合の音響放射の様子を可視化する。なお，**加振力**（excitation force）は振幅 1 N で 1 000 Hz の**正弦波形**（sinusoidal waveform）とした。

図 2.20（● A_2.6-1）に下向き加振の場合の可視化結果を示す。図中，白抜きの部分が板を表しており，その振動の変位を黒色で表現している。変位の大きさは見やすさを考慮して実際の値を 100 万倍して表示している。加振力を受けると，板内部には**垂直応力**（normal stress）と**せん断応力**（shear stress）が生じ，それらが縦波，および，横波として板を伝搬する。ただし，板のように，薄い固体中を伝搬する場合には，これらを**曲げ波**（bending wave，**屈曲波**）として解釈する場合が多い[2]。屈曲波の伝搬速度は周波数依存性をもち，高周波数成分ほど速い。加振力は正弦波形であるが，加振開始時には若干の高

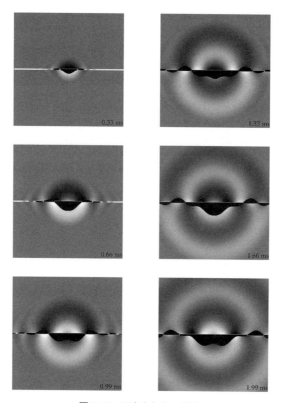

図 2.20 下向き加振の場合

周波数成分を含む。1 ms までの可視化結果を見ると，その高周波数成分が1 000 Hz の曲げ波よりも先に伝搬し，板の上下に音波を放射している様子が見てとれる。その後は加振点を中心とした1 000 Hz の円筒波が放射されている。このとき，屈曲波は板が上下に振動する波であるため，それによる放射音は上下で逆位相となることに注意されたい。

図 2.21（A_2.6-2）に右向き加振の場合の可視化結果を示す。右向きに加振された場合には面内方向（図中，左右方向）に縦波が生じるが，面内方向に圧縮膨張された板材はポアソン比にしたがって面外方向（図中，上下方向）にも伸縮する。このように，面外方向の伸縮をともなう縦波を**擬似縦波**

2.6 放　　　　射　　　　45

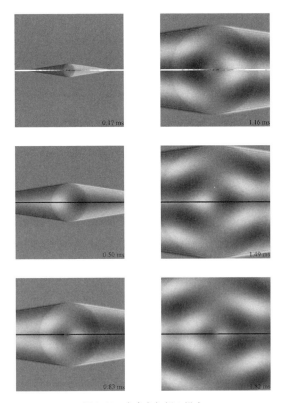

図 2.21　右向き加振の場合

(quasi-longitudinal wave) と呼ぶ。したがって，面内方向への加振であっても，面外方向の伸縮が生じ，それによって板からは音波が放射される。ただし，この音波は下向き加振の場合に比べて非常に小さく，今回の場合では，約 500 分の 1 程度の音圧振幅であった。それにともない，図の濃淡も図 2.20 の 500 分の 1 のスケールで表示している。アクリル中の波の伝搬は空気中の音速より速く，縦波の位相速度は約 2 500 m/s である。また，下向き加振の部分でも述べた通り，加振力には加振開始時に高周波数成分が含まれる。2 500 m/s の位相速度で面内方向に伝搬する擬似縦波の高周波数成分により，板に接する空気には急激で不連続な圧力変化が生じる。これは，音速を超える飛行機が発

する**衝撃波**(sonic boom)と同じメカニズムであろう。その後，加振点を中心とした1 000 Hzの平面波が左右斜め方向に放射される様子が見てとれる。擬似縦波に起因する音波であるため，上下で同位相となることに注意されたい。

引用・参考文献

1) D. Takahashi, Y. Kato, and K. Sakamoto：Sound fields caused by diffuse-type reflectors with periodic profile, J. Acoust. Soc. Jpn.(E), **21**(3), pp.131-143 (2000)
2) 縄岡好人：建築躯体を伝搬する波動・固体音，日本音響学会誌，**62**(1), pp.79-84 (2006)

第3章
響きのシミュレーション

　部屋の中で音波が発せられると，壁，床，天井で音波が反射しつつ，エネルギーが徐々に減衰して，響きが生じる。**コンサートホール**（concert hall）では，ほどよい響きが音楽に膨らみをもたせて，豊かな情感を演出する。しかし，大きなアトリウム空間などでは，響きは会話の邪魔になったり，うるささの原因になったりしてしまう。本章では，比較的大きな空間から小さな空間まで，響きのシミュレーションとそれにまつわるトピックを解説する。

3.1　ホ ー ル

　ホール音響（concert hall acoustics）は，**建築音響**（architectural acoustics）の分野では**物理音響学**（physical acoustics）の面でも**心理音響学**（psychological acoustics）の面でも最も興味をもたれるトピックスの一つである。建築物は，ほかの工業製品と違って一品生産であり，すべてのコンサートホール，すべての**劇場**（theater）に，まったく同じものは一つとして存在しない。ゆえにその建築計画，設計，および，施工にあたっては，絶対に失敗がないように，入念な検討が行われる。音の響き方，および，聞こえ方と，建築空間の形状，材料との関係に関わるその検討を"**音響設計**（acoustical design）"と呼ぶ。コンサートホールや劇場のように，音の響き方，音の聞こえ方が一番重要な空間で音響設計が重要であることには，だれも異論を差しはさまないであろう。音響学的には，**気積**（air volume）（空間内部の容積）の大きな空間，例えば，ビルのアトリウム，空港や鉄道駅のコンコース，体育館，学校の大教室などの空間でも，安全で快適できもちの安らぐ空間を実現するためには，音響設計が必要

不可欠なプロセスの一つである。

音響設計のために用いられる技術的な手法としては**縮尺模型実験**（scale model experiment）がよく知られている。対象とするホールの内部空間の模型（縮尺は 1/50 〜 1/10 が多い）を作成し，その中で模型実験用の特別な音源から試験音を発生させ，評価する位置（おもに客席）に設置した小型マイクロフォンで受音した音波を信号処理したうえで分析して，完成後の音の様子を予測する物理的なシミュレーション手法である。近年では，コンピュータ技術の進展にともなって数値解析による手法が注目されており，FDTD 法も期待される手法の一つとなっている。FDTD 法による**音場予測**（sound-field prediction）の大きな利点が，音波の伝わり方を視覚的に表現することができる，いわゆる可視化である。音波は空気中を伝わる微小な圧力，もしくは，密度変化であり，その伝搬速度も速い。それゆえ，物理的な観測によって音の挙動を可視化することは至難の業であり，縮尺模型実験においてもそれは不可能である。それに対して，FDTD 法もその範ちゅうに含まれる波動数値解析は，物理現象をコンピュータの中の数値を使ってシミュレートしたものであり，コンピュータの中の数値を取り出して視覚化する処理を施せば，容易に可視化結果を得ることができる。音響設計は，ごく大まかにいうと音をよくするために空間内部の"**かたち**（shape）"と"**材質**（material）"を修正していく行為であるから，どの部分の"かたち"や"材質"が音のどういう特性に顕著な影響をおよぼすのかが一目でわかる可視化は，音響設計にとって非常に有効な手段となる。そこで本節では，まず，あるホールの基本設計段階において FDTD 法を用いて平面形状の設計支援を行った事例[1]を示し，つぎに，完成したホールにおいて FDTD 法の計算精度を確認した事例[2]を示す。

3.1.1 ホールの概要

計画対象となるホールは，大学の研究実験棟に計画された，講演会を主目的とする約 300 人収容のホールである。**図 3.1** のように，直線的な建物躯体壁から外部に向かってせり出した曲面が，建物の外観に強いアクセントを与えるの

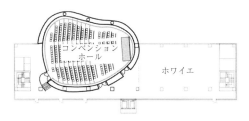

図 3.1 建物とホールの平面図

が**意匠設計**（architectural design）のコンセプトとなっている。躯体からせり出した側の曲面形状は意匠的な要求が強く主張されたが，躯体内側の壁面形状に関しては音響的観点を含めて形状変更の自由度が認められ，そのような制約のもとで音響・意匠の両面から設計が進められた。

このホールは平面形状に凹曲線を多用していることが特徴的であるため，**エコー**（echo）障害の発生が強く懸念された。そこで，設計の各段階において平面形状に着目した2次元FDTD解析を行って，室の平面形状による音響特性の特徴を把握するとともに，問題点を明示し，その結果を意匠設計者にフィードバックして段階的に音響性能を向上させていく進め方をとった。FDTD法は，音場を細かい**領域**（domain）に分割して各領域間の関係性にもとづいて応答を計算する離散化手法であるため，離散化の大きさによって検討可能な**周波数範囲**（frequency range）に制限がある。本検討では，このホールが講演会を主目的としていることを考慮して，周波数帯域として音声帯域の主成分がカバーできれば十分と考え，用いる計算機の記憶容量や計算速度もあわせて考慮して，2次元解析における空間，および，時間離散化幅をそれぞれ0.01 m，0.02 ms（サンプリング周波数50 kHz）とし，解析上限周波数は，用いたスキームの種類による計算精度を勘案して2 kHzと設定した。また，音場領域の境界には垂直入射吸音率に換算して30％となる表面インピーダンスを周波数に関わらず一定値として与えた。

3.1.2 音響設計の経緯

このホールの設計の経緯を，音響的観点から**図3.2**のように三つの段階に

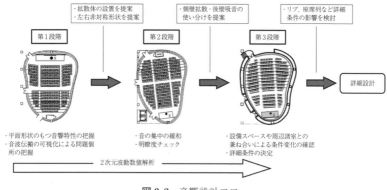

図 3.2　音響設計フロー

分けて説明する[1]。第1段階では外壁からせり出した曲面を左右対称に用いた形状，第2段階では躯体内部の曲面を変更して左右非対称とした形状，第3段階では，設備スペースなどとの取り合いも考えて調整した最終的な平面形状を検討した。以下に，各案に対する解析結果と問題点の改善提案について述べる。

〔1〕 **第1段階**　当初案は，意匠上の要求から与えられた躯体外部への張出の形を，躯体内部の室境界形状として左右対称となるように与えたもので，このような曲面形状がもつ音響特性を把握することを目的として検討した。また，なめらかな曲面による基本形状とともに，強いエコーを緩和する目的で側壁，および，後壁に**屏風折れ型の拡散体**（triangular diffuser）を設置した場合についても検討した。

図3.3に，2次元FDTD解析により求められた，平面内の音波伝搬性状と，ステージ上の音源（図中，S），座席エリア後部の受音点（図中，R）間のインパルス応答を示す。このインパルス応答は，可聴化により耳でエコーの有無などを確認した。拡散体なしの条件（図（a））では，**直接音**（direct sound）とステージ後壁で反射した**反射音**（reflection sound）が一定の間隔を保ちながらほぼ平行に進行するとともに，左右側壁から強い反射音が伝搬する様子が見られる。これらはインパルス応答を可聴化すると強いエコーとして知覚され，顕著な**音響障害**（acoustic disturbance）となることが確認された。**拡散体**

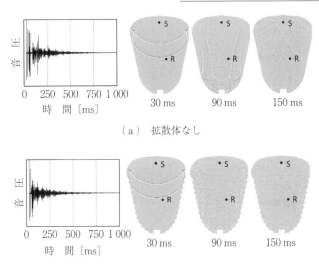

(a) 拡散体なし

(b) 拡散体（屏風折れ型）あり

図3.3　第1段階における室内音場の可視化

(diffuser) を設置した形状（図（b））では，左右側壁からの顕著な反射は緩和されるものの，中心軸上でのゆるやかな音の集中はあまり改善されていない。また，機能上の制約を避けるためにステージ後壁には拡散体を設定しなかったことから，ステージ後壁からの顕著な反射音も残ったままである。ここで，ステージ部分はこの案ほど広くする必要性はあまりないため，最初の改善案としてステージと座席エリアの位置関係を入れ替える案を提案した。

音波伝搬，および，インパルス応答の計算結果を図3.4に示す。この場合，長手方向の**往復反射**（multiple reflection，多重反射）は緩和されたものの，左右の側壁からの反射音に起因する中心軸上での音の集中は依然として残る結果となった。そこで，中心軸上への音の集中を緩和することを目的として，躯体内部の室境界形状を変更し，左右非対称の平面形状とすることを提案した。

〔2〕**第2段階**　音響設計側からの提案に沿う形で左右を非対称としたソラマメ形の平面形状が意匠設計により提示された。音波伝搬，および，インパルス応答の計算結果を図3.5（**A_3.1-1**，**A_3.1-2**，**S_3.1-1**，**S_3.1-2**）に示す。左右非対称の形状としたことで，中心軸上における音の集中は緩和さ

52　3. 響きのシミュレーション

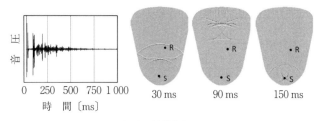

（a） 拡散体なし

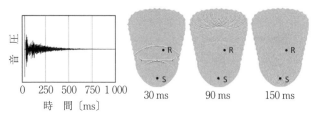

（b） 拡散体（屏風折れ型）あり

図 3.4　ステージと座席エリアを入れ替えた場合の音場の可視化

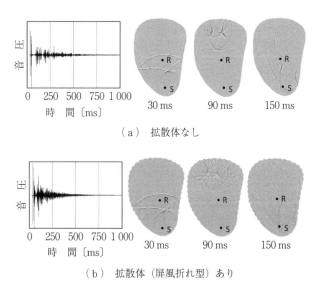

（a） 拡散体なし

（b） 拡散体（屏風折れ型）あり

図 3.5　左右非対称とした場合の室内音場の伝搬の可視化

れ，エコーはほとんど知覚されない結果が得られた。そこで，平面形状設計においては，① 躯体外部の曲線形を生かしつつ，左右非対称とする，② 室内の両端部エリアのうち，せまくなったエリアをステージ（前方）とする，③ ステージ部を除いた側壁，後壁には拡散体を設置して音の拡散性を向上させる，という3点を基本方針とした。

つぎに，**音声明瞭度**（articulation）を確保するための設計方針を検討するため，計算したインパルス応答にアナウンスをたたみ込んで可聴化による検討を行った。全周にわたり垂直入射吸音率を30％とした場合，後壁からの強い第一反射音が明瞭性を阻害する可能性が指摘された。この改善のため，後壁部分を吸音壁とすることを提案した。後壁の吸音率を90％として計算した音波伝搬，および，インパルス応答を図3.6に示す。音波伝搬の図を見ると，吸音処理によって，座席の後方中央部で生起していた音の集中が緩和されることが確認でき，また可聴化の結果，残響時間が短くなった効果も相まって，アナウンスの明瞭性が向上する印象も確認された。

〔3〕 **第3段階**　以上の検討で得られた方針を念頭に，設備スペースや周辺諸室のボリューム関係を考慮しながら，最終形状が設計された。側壁には周期1.5 mの屏風折れ型拡散体が，後壁にはグラスウールを用いた吸音壁が設置された。図3.7（◉ S_3.1-3）に，最終案の音波伝搬の可視化結果を示す。音波発生後100 ms程度経過すると，特に強い反射音もなく，音波が室内に均等に広がるようになる様子が見てとれる。

室内音響（room acoustics）の基本的概念に，**音場の拡散性**（sound field diffusiveness）という言葉がある。室内に音が広がったとき，室内のどの点に

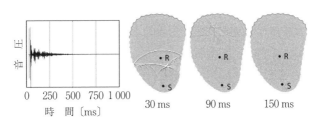

図3.6　後壁部分を吸音とした場合の室内音場の可視化

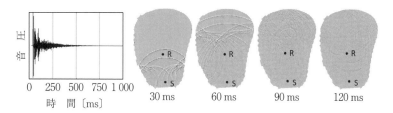

図 3.7　最終形状における室内音場の可視化

も音のエネルギーが偏りなく均等に分布し（音響エネルギーの均一性と称される），どの方向からも等しく音がやってくる状態（音響エネルギー流の等方性と称される）を拡散性の高い音場と評価する。ホールを想定した場合，座席位置によって音が大きく聞こえたり小さく聞こえたり，音量が変わってしまうようでは都合が悪い。どの座席に座っても，演者の発する音が等しく大きく聞こえるホールがよい。このことから，ホールは拡散性が高い方がよいと評価される。音場の拡散性のうち，音響エネルギーの均一性を評価する指標として $NV(t)$ という関数が提案されている[2]。$NV(t)$ は，式 (3.1) で表される**ポテンシャルエネルギー**（potential energy）の**空間分散値**（spatial variance）で**過渡音場**（transient sound field）のエネルギーの均一性を評価する指標である。

$$NV(t) = \frac{V(t)}{\overline{e}(t)^2} \tag{3.1}$$

ただし，$\overline{e}(t)$ は，それぞれの時刻 t における空間内のポテンシャルエネルギーの平均値で，FDTD 法を用いて計算される差分格子点上の音圧を $p^n(i,j,k)$ と表記すると，$\overline{e}(t)$ は以下のように計算する。

$$\overline{e}(t) = \frac{1}{M} \sum_{i,j,k} \frac{\{p^n(i,j,k)\}^2}{2\rho c^2} \tag{3.2}$$

ここで，M は音圧が定義される格子点の総数である。また，$V(t)$ はポテンシャルエネルギーの**分散**（variance）で，以下のように計算する。

$$V(t) = \frac{1}{M} \sum_{i,j,k} \left[\frac{\{p^n(i,j,k)\}^2}{2\rho c^2} - \overline{e}(t) \right]^2 \tag{3.3}$$

$NV(t)$ の値は，エネルギーが一点に集中している場合に∞，エネルギーが空

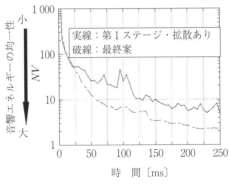

図 3.8 $NV(t)$ の比較

間全体にランダムに分布している場合に 2 となる。

図 3.8 に，第 1 段階（拡散体あり）と最終案の $NV(t)$ を比較して示す。第 1 段階の形状では $NV(t)$ が複数の時刻でピークをもつが，これらのピークは，その時刻に室内の特定のエリアにエネルギーの集中が発生していることを示している。最終案では $NV(t)$ が低い値で推移し，特段のピークをもつこともなく，良好な拡散性が得られていることが示されている。

3.1.3 計算精度の確認

3.1.2 項のような経緯で設計されたホールが完成したのち，FDTD 法の精度を確認するために実物ホールを対象とした実験と計算の比較を行った。3 次元解析は，取り扱うべき格子数が 2 次元の場合に比べて格段に多くなるため，計算機にかかる負担が大きい。そのため，必然的に音場の離散化幅を 2 次元解析の場合よりも大きくせざるを得ない。本解析では音場の離散化幅を 0.06 m として解析を行った。この検討で幾何学的な入力条件として用いた，完成後のホールの平面図，および，断面図を図 3.9 に示す。

FDTD 法に限らず，すべての音響数値解析手法において，吸音境界条件をどのように与えればよいかは大きな課題となっている。この検討では，現場の状態をなるべく反映させるため，床面（カーペット），側壁（せっこうボード），後壁（グラスウール），天井（塗装済石膏ボード），座席（座面，背面，およ

56   3. 響きのシミュレーション

（a）平面図

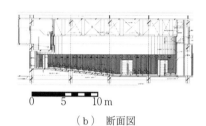

（b）断面図

図 3.9　完成したホールの平面図と断面図

び，側面）の各部位について，現場で使用されているものと同じ材料を入手し，垂直入射複素音響インピーダンスを測定した。FDTD 解析ではそれらの特性を部位別に与えた。境界条件のモデリングは文献 3) の方法によった。

図 3.9 に示す音源（S），受音点（R1 ～ R10）間のインパルス応答を計算した。解析周波数範囲は，音場の離散化幅を考慮して 88 ～ 1 414 Hz（125 Hz ～ 1 kHz の 4 オクターブバンド）とした。計算結果と比較するために，実物ホールにおいて，計算で設定した位置と同じ音源・受音点間のインパルス応答を計測した。計測は，12 面体スピーカを用いた swept-sine 法によった。インパルス応答の計算結果と実測結果の比較を図 3.10 に示す。図中の Corr. の値は計算結果と実測結果の間の波形の相関係数を表している。受音点 R3 では主要な初期反射音の振幅について差異が見られるが，そのほかの受音点では反射音の到来時刻，振幅とも良好に対応している。

最初に述べたように，FDTD 法は室内のすべての格子点における音圧を陽的

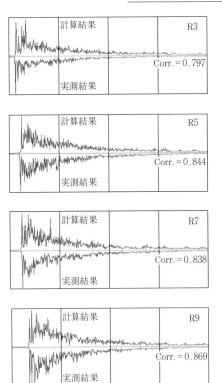

図 3.10 受音点におけるインパルス応答の比較

に求める解法であるため，室内音場の変化の様子を容易に可視化することができる。その手順としては，特定の時間間隔（1〜数 ms）ごとに設定断面にあるすべての格子点音圧のデータをファイルにはき出し，全時間ステップの計算終了後，はき出したデータを画像化ソフトウェアによって画像として出力する。近年は，さまざまな画像化ソフトウェアが存在するのでそれらを用いればよいが，FDTD における計算格子は通常，膨大となるので，作業の効率化のために，はき出すデータをバイナリデータとする，画像化の際にはプログラマブルなソフトウェアを用いる，といった工夫を要する。作成した画像データは数百枚オーダーとなるが，それらを動画作成ソフトウェアによって一つにまとめ

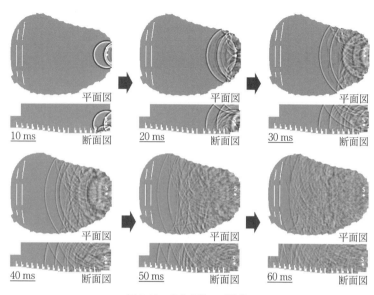

図 3.11 室内音場の可視化

ることで可視化のためのファイルを作成することができる。図 3.11（🔘 **A_3.1-3**）は，このホールにおける音圧分布の変化を可視化した例である[4]。側壁の屏風折れ型拡散体の効果で音波が散乱されている様子や，ソラマメ形の形状の効果で特段の音の集中は生じずに音波が室内に広がっていく様子を見ることができる。

実際のホール音場を検討した別の事例として，楕円形ホールの音圧分布変動を可視化した例を図 3.12（口絵 1）に示す[5]。実際のホールには，屏風折れ型，および，錐形の拡散体が設置されており，図の右列の結果となるが，FDTD 解析では，かりに楕円形ホールに拡散体がなかったとしたらどのような音波伝搬が観察されるのかについての検討を行った（図の左列）。周壁を拡散処理することによって，楕円形特有の音響障害である極度な音響集中が大きく緩和される様子がよくわかる。

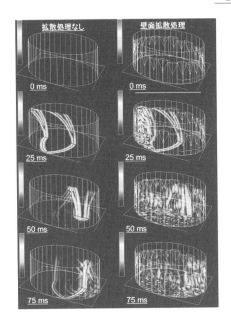

図3.12 楕円形ホールにおける室内音波伝搬の可視化

3.2 鳴 き 竜

　日光東照宮・本地堂内陣の鏡天井には竜の絵が描かれており，その頭の直下で拍手すると，いわゆる"鳴き竜"現象が知覚されることで有名である。この"鳴き竜"現象については，大正時代にその発生メカニズムについて研究がなされ，天井に付けられた"**むくり**（arch rise）"と呼ばれるわずかな湾曲によって生じる現象であることが明らかにされた[6)～8)]。また，昭和10年の報告[9)]において，天井と床の間で生じる音の往復反射に起因することが明らかにされた。

　本地堂は昭和36年に一度焼失し，現在の建物は昭和44年に再建されたものである。再建にあたっては，"鳴き竜"現象を復元するため，おもに"むくり"の程度と"鳴き竜"の響きの長さについて縮尺模型実験による検討が行われた[10)]。当時の模型実験の結果によると，以下のことが確認されている。

　①　天井の"むくり"の程度が増すほど，"鳴き竜"の継続時間は長くなる。
　②　音源・受音点を"むくり"の頂点直下からずらした位置に設定した場

合,"鳴き竜"は大きくなったり小さくなったり,波打ちながら減衰する。

③ 消失前の"鳴き竜"を再現するには,"むくり"の程度は3寸 (9 cm) が適当である。

本節では,このような背景をもつ"鳴き竜"について,**音波伝搬**(sound propagation) の様子を可視化し,そのメカニズムについてあらためて検討を行った例を紹介する[11]。

3.2.1 本地堂内部空間をモデル化した3次元FDTD解析

日光東照宮・本地堂内部をモデル化して3次元FDTD解析を行い,そこで生じる"鳴き竜"現象について,音波伝搬の様子を可視化することで検討した。

〔1〕 **数値解析の概要**　対象とした本地堂の平面図を図3.13に示す。各部の寸法は文献10)に示された平面図から読みとり,内陣天井に"むくり"を付けた場合3条件 (6 cm, 9 cm (3寸), 21 cm) と付けない場合の計4条件について解析を行った。天井面は完全反射とし,そのほかの壁,床,および,柱の表面については垂直入射吸音率5%に相当する表面インピーダンス(実数部のみ)を与えた。正面入口(図中,開口面と示す壁面位置)については,無

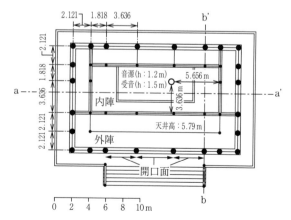

図3.13　日光東照宮・本地堂平面図

反射の条件として，その表面インピーダンスに ρc を設定した。解析上限周波数は 1 kHz オクターブバンドの上限周波数に当たる 1.4 kHz に設定した。音源は鏡天井に描かれた竜の頭部の直下とし，人が拍手する際の平均的な高さである床から 1.2 m の高さに設定した[10]。インパルス応答を計算する受音点は音源の直上で床から 1.5 m の高さとした。

〔2〕 **天井むくりのモデル化**　天井の"むくり"については，「内陣天井の中心点で天井高が最大となり，内陣天井の周辺（四周）は同じ高さとなる」ように，以下のように 2 段階に分けてモデル化し，図 3.14 (c) に示すような"むくり"天井を設定した。

① 内陣長手方向について，図 3.14 (a) に示す a-a' 断面モデル図（切断位置は図 3.13 参照）のように，"むくり"の頂点と天井周辺 2 点（A，および，A'）を円弧で結ぶ。

② 内陣短手方向の断面（図 3.14 (b) に示す b-b' 断面モデル図参照）について，①で求められた長辺方向の円弧と断面の交点 C' と周辺 2 点（B，および，B'）を円弧で結ぶ。

〔3〕 **鳴き竜現象の可視化**　数値解析の結果はアニメーションで可視化して見ることができるが，ここではその中の離散的な時刻におけるスナップショットとして，図 3.15（**A_3.2-1**，**A_3.2-2**）に音源を含む長手方向断

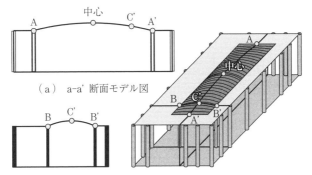

(a) a-a' 断面モデル図

(b) b-b' 断面モデル図　(c) モデル鳥瞰図（一部柱を省略）

図 3.14　本地堂天井"むくり"のモデル化

62　3. 響きのシミュレーション

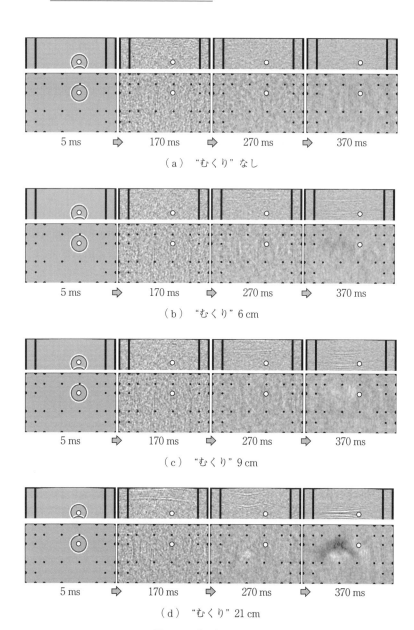

(a) "むくり" なし

(b) "むくり" 6 cm

(c) "むくり" 9 cm

(d) "むくり" 21 cm

図 3.15 音波伝搬の様子

面と床上 1.2 m の平面における音波伝搬の様子を示す。図中の白い丸印は音源を示す。これらの結果を比較すると，比較的初期の時刻においては，いずれの条件も周囲の壁面からの反射波，および，柱による**散乱波**（scattering wave）によって，音場内が拡散されている様子が見られる。しかし，時刻が経過するとともに，天井に"むくり"がある場合には，**フラッタエコー**（flutter echo）の原因となる天井と床との間での往復反射がはっきりとした波面として浮き出てくる様子が見られる。また，"むくり"の程度が増すほど，反射波がよりくっきりと浮かび上がってくる。

〔4〕 **インパルス応答の変化**　それぞれの"むくり"条件について，受音点におけるインパルス応答波形を**図 3.16**に示す。"むくり"なしの場合，"鳴き竜"現象を引き起こすようなはっきりとしたエコーは確認できない。それに対して"むくり"ありの場合，"むくり"の程度が大きくなるほどエコーが大きく，継続時間が長くなる様子が見られる。また，"むくり"が9 cm と 21 cm の場合，エコーは指数関数的に徐々に小さくなるのではなく，波打ちながら減衰する様子が顕著である。なお，今回の数値解析では，音源・受音点位置を竜頭の直下に設定したため，"むくり"の中心（内陣中心点）からずれた位置となっている。これらのインパルス応答を付録 DVD に収録する（◉ **S_3.2-1**～**S_3.2-4**）。

受音点に仮想的に**指向性マイクロフォン**（directional microphone）を設置し，その指向特性の正面を前後左右上下に向けて収音することで，各方向から

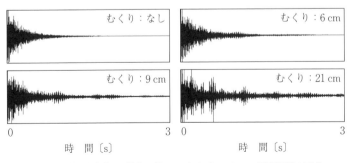

図 3.16　"むくり"の程度の違いによるインパルス応答波形の変化

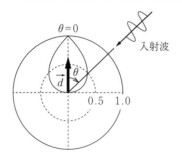

図 3.17 シミュレートした指向特性

伝搬してくる音の特徴について検討した。仮想指向性マイクロフォンによる収音は，FDTD 解析により算出した受音点における 3 次元**音響インテンシティ**（sound intensity）をもとに，各時刻における音波の入射方向を求め，**図 3.17**，および，式 (3.4) ～ (3.6) に示す入射方向に応じた重み係数（指向特性：$f_{directional, i}$）[12]を，FDTD 解析により算出したその時刻の無指向性音圧に乗じることによってシミュレートする。

$$f_{directional, i} = \begin{cases} \dfrac{\cos(\theta_i)}{A} & (\cos(\theta_i) \geq 0) \\ 0 & (\cos(\theta_i) < 0) \end{cases} \quad (3.4)$$

$$A = \frac{1}{2} \sum_{i=1}^{6} |\cos(\theta_i)| \quad (3.5)$$

$$\cos(\theta_i) = \frac{-d_{ix} \cdot I_x - d_{iy} \cdot I_y - d_{iz} \cdot I_z}{\sqrt{(I_x)^2 + (I_y)^2 + (I_z)^2}} \quad (3.6)$$

ただし，$\vec{I} = (I_x, I_y, I_z)$，$\vec{d_i} = (d_{ix}, d_{iy}, d_{iz})$，$|\vec{d_i}| = 1$ である。ここで，$f_{directional, i}$ は直交 6 方向の各指向特性，θ_i は各指向特性の正面方向（各直交 6 方向）に対する音波の入射角，$\vec{d_i}$ は各指向性の正面方向ベクトル，$\vec{I}$ は受音点における各時刻の音響インテンシティベクトルを意味する。

"むくり" 9 cm について，方向別**指向性インパルス応答**（directional impulse response）を**図 3.18** に示す（図 3.13 上側を正面とする）。この結果を見ると，特に上下方向のインパルス応答でエコーが長くつづく様子が見られ，天井面と床面の間で強いフラッタエコーが生じていることがわかる。このようにインパ

3.2 鳴き竜　65

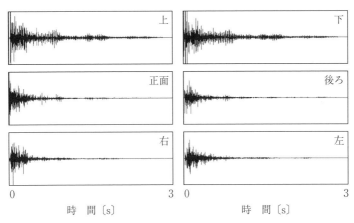

図3.18　受音点における方向別重み付きインパルス応答（"むくり" 9 cm）

ルス応答波形を方向別に分割して表示することで，音の特徴を明らかにすることができる。また，このインパルス応答は音場再生システムで可聴化することも可能であり，波打ちながら減衰する"鳴き竜"を3次元的な響きをともなって感じることができる[11]。

3.2.2 鳴き竜現象のメカニズムの可視化

前項では，日光東照宮・本地堂内陣をモデル化して"鳴き竜"現象の可視化を行った。ここでは，"鳴き竜"現象のメカニズムを理解するため，天井と床面での往復反射を単純にモデル化して解析を行い，音波伝搬の様子を可視化した。

〔1〕 **対象音場の概要**　2次元音場を対象とし，図3.19に示すように，床面を想定した反射面上の半自由空間に天井面をモデル化した反射板を設置し

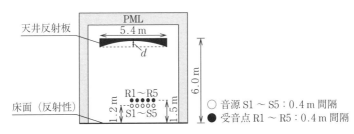

図3.19　検討対象とした2次元音場の概要

た。解析上限周波数は2 kHzオクターブバンドの上限周波数に当たる2.8 kHz に設定した。床面,および,天井面は完全反射とし,床面以外の音場領域境界（無反射）にはPML（1.2.4項参照）を配置した[13)~15)]。反射板の"むくり"の寸法（図中, d）は,"むくり"なし,および,本地堂の"むくり"と同様の9 cm（3寸）とした。音源,および,受音点の高さは床面からそれぞれ1.2 m と1.5 mとし,対象音場の中心軸上（S1, R1）,および,横方向に0.4 m間隔に4点（S2~S5, R2~R5）の各5点について解析を行った。

〔2〕 **鳴き竜現象の発生メカニズム**　各音源位置に対してそれぞれ直上の受音点について計算されたインパルス応答波形を**図3.20**に示す。いずれの条件についても,はっきりとした"鳴き竜"現象（フラッタエコー）が見られ,"むくり"を付けた場合,"むくり"なしに比べてエコーの振幅が明らかに大きくなっていることが確認できる。音源・受音点位置の違いに注目すると,"むくり"なしでは位置によらずおおむね同様の波形となっているが,"むくり"を付けた場合には,音源・受音点が中心軸から離れるとエコーが周期的に大きくなったり小さくなったり波打ちながら減衰していく様子が見られる。付録DVDに"むくり"なしの音源S1—受音点R1,"むくり"9 cmの音源S1—受音

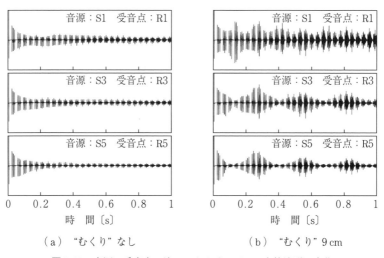

(a) "むくり"なし　　　　(b) "むくり"9 cm

図3.20　音源・受音点の違いによるインパルス応答波形の変化

点 R1，および，音源 S5—受音点 R5 の音を収録する（● **S_3.2-5**〜**S_3.2-7**）。

このような音源位置の違いによる減衰特性の差異について，その原因を探るため，音源 S1，および，S5 の場合について音波伝搬の様子を可視化した。図 **3.21** に"むくり"を付けた場合と付けない場合の比較を示す（"むくり"なし

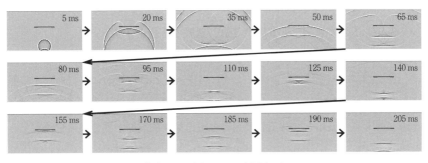

（a）"むくり" 9 cm（音源 S1）

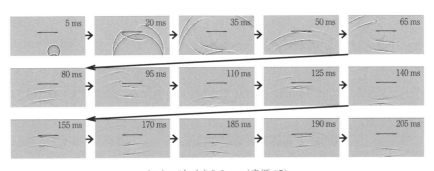

（b）"むくり" 9 cm（音源 S5）

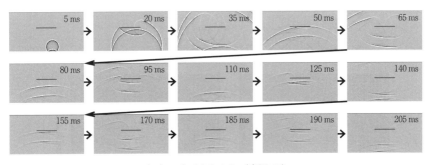

（c）"むくり"なし（音源 S5）

図 3.21 音波伝搬の様子

68　3. 響きのシミュレーション

は音源 S5 のみ)。このスナップショットでは少々わかりにくいが，アニメーション (　A_3.2-3, A_3.2-4) として連続的に見ると，音源が中心軸上にある場合 (音源 S1)，"むくり"がある条件では，音波が上下に繰り返し反射されている様子が見られる (図 (a))。音源が中心軸上からはずれた場合 (音源 S5)，"むくり"がある条件では，濃い波面を保ったまま，音波が天井面と床面の間を左右斜め上方／下方に繰り返し伝搬する様子が見られる (図 (b))。例えば，受音点 R5 には，この繰り返しの数回に一度，濃い波面が到達するため，図 3.20 (b) で示したように，インパルス応答は周期的に波打ちながら減衰する。一方，"むくり"がない条件では，天井面と床面の間を左斜め上方／下方に繰り返し伝搬し，時刻の経過とともに徐々に波面が薄くなる様子が見られる (図 (c))。したがって，図 3.20 (a) で示したように，インパルス応答に波打ちは観測されない。

図 3.22 に，"むくり"がある条件について，それぞれの音源位置に対する**単発音圧暴露レベル** (sound exposure level) の空間分布図を示す。音源が中心軸上の場合 (音源 S1)，上下への音波の往復反射により，中心軸上のエネルギーが高くなっている様子が見られる (図 (a))。一方，音源が中心軸上から離れた場合 (音源 S5) には，音源とその対称点を含む上下方向でエネルギーが高くなっている様子が確認できる (図 (b))。

図 3.23 に，"むくり"がある条件について，それぞれの音源位置に対し，受音点 R2 において得られた音響インテンシティベクトルの"はりねずみ図"を示す。図中，各線の長さは 1 ms ごとに平均化された音響インテンシティレベルの大きさを示し，各線の示す方向から中心へインテンシティベクトルが向い

(a) 音源 S1　　　　　　　(b) 音源 S5

図 3.22 単発音圧暴露レベルの空間分布 (音源位置の違い)

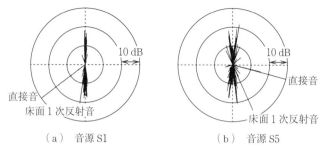

(a) 音源 S1　　　　　　　(b) 音源 S5

図 3.23　受音点 R2 におけるインテンシティベクトル

ていることを意味する。音源が中心軸上にある場合（音源 S1）には，インテンシティベクトルは直接音と床からの 1 次反射音を除き，ほぼ真上と真下方向のみとなっており，音波が上下に繰り返し反射されている様子が見られる（図 (a)）。それに対して，音源が中心軸上から離れた場合（音源 S5）には，"はりねずみ図" は縦長の X 字型となり，斜め上方／下方に繰り返し音波が伝搬していることが確認できる（図 (b)）。

3.3　車　室　内

　自動車車室（car cabin）の音響性能として，従来は**静粛性**（quietness）が重要視され，**遮音**（sound insulation）・吸音設計がなされてきたが，近年，搭乗者間のコミュニケーションのとりやすさ，カーオーディオなどからの音響情報の聞きとりやすさなど，車室内の快適性に着目した取組みも見られるようになってきた。車室の快適な音環境の形成にとっては，**音響伝達特性**（sound transmission characteristics）が重要であり，その音響設計を行ううえで波動数値解析技術は強力なツールになると考えられる。そこで本節では，車室内の音場解析に FDTD 法を応用した事例を紹介する。

3.3.1　車室における境界条件の与え方

　車室のように，容積が小さい空間は，計算格子を小さく設定することができ

る。これから紹介する車室の解析では,空間離散化幅,時間離散化幅をそれぞれ,5 mm, 5.2 μs と設定している。車室は空間の形状も複雑となるので,計算格子を小さくできることは,空間の形状をできるだけ正確に表現するうえでも有利である。計算格子を細かく設定できるということは,**高周波数帯域**(high frequency range)までの解析ができるということなので,**低周波数帯域**(low frequency range)から高周波数帯域まで,広い周波数範囲にわたってできるだけ正確に境界条件をモデル化することが計算精度を確保するうえで重要になる。車室は,窓ガラスや樹脂製のボードのように硬く反射性の材料,フロアマット,天井パネル,座席シートのようにやわらかく吸音性の材料など,多種多様な材料で構成されているため,それらすべての材料の音響特性を適切にモデル化し,数値計算内で適切な材料定数を設定する必要がある。

比較的硬い材料や,やわらかく吸音性が高くても薄い材料では,**局所作用**(local reactive)の仮定がほぼ成り立つ。局所作用の仮定とは,材料表面のある点においてその面の法線方向に生じる粒子速度が,その点における音圧のみによって決まるとする仮定である。この考え方によれば,境界面の表面インピーダンスのみによってそこでの反射を計算することができる。この方法は簡便であるため,さまざまな波動数値解析の手法において広く用いられている。このように局所作用の仮定に立脚した手法であっても,車室内の音場解析のように広い周波数範囲を計算対象とする場合には,表面インピーダンスの周波数特性を正確に反映させなければならず,FDTD 法では複雑な取扱いが必要になる。FDTD 法によって周波数依存性を反映させるためには,境界面での音波の反射をシステムとしてとらえ,z 変換を応用する方法[16],境界面をその音響インピーダンスが等価となるような機械系に置き換える方法[3],**表面アドミッタンス**(surface admittance)を IIR フィルタとして反映させる方法[17] などがある(1.2.2項参照)。これらの手法の詳細を述べることは本書の範囲を超えるので省略するが,興味がある読者は参考文献をあたられたい。

座席シートは,狭小な車室内の中でも主要な面積を占めるとともに,非常にやわらかい材質であることから,音波がシート表面から材料内部に伝搬し,裏

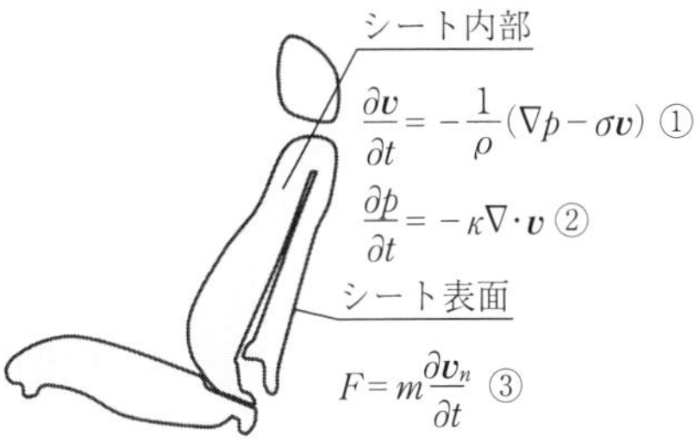

3.3 車室内　71

図 3.24 シート解析モデルの概念図

シート内部
$$\frac{\partial \boldsymbol{v}}{\partial t} = -\frac{1}{\rho}(\nabla p - \sigma \boldsymbol{v}) \quad ①$$
$$\frac{\partial p}{\partial t} = -\kappa \nabla \cdot \boldsymbol{v} \quad ②$$
シート表面
$$F = m\frac{\partial \boldsymbol{v}_n}{\partial t} \quad ③$$

面へと抜ける，いわゆる**音響透過**（sound transmission）が生じる可能性もある。そこで，本項では，シート材料内部への音波の伝搬と透過を考慮した解析について紹介する[18]。

図 3.24 に，シート解析モデルの概念図を示す。空気中からシート表面に印加された音圧の作用により，図中式 ③ で示される運動方程式にしたがって，シート面に加速度が生じ，シート面とシート面に接する空気の粒子速度の連続性により，材料内部の音場が励振される。式 ③ 中の m はシート表面材の面密度であり，実際に自動車に使われているシート材の実測より，その値は皮革シートの場合 $m = 0.065$〔kg/m^2〕，布シートの場合 $m = 0.02$〔kg/m^2〕である。シート内の音波の伝搬は，損失のある媒質中の音波伝搬としてモデル化し，図中式 ①，および，② により計算する。式 ① はオイラーの式に相当し，σ は材料中の**流れ抵抗率**（flow resistivity）である。本項で紹介する解析では材料はウレタンフォームであり，音響管による特性インピーダンスの測定結果から流れ抵抗を同定して，$\sigma = 5\,000$〔Ns/m^4〕の値を用いた。式 ② は連続方程式に相当する。式 ② 中の体積弾性率 κ については実測することができなかったので，空気中の体積弾性率と同じ値を用いた。

解析の妥当性を検討するため，**図 3.25** のように，シートの前面に**点音源**（point source）を配し，シートの前後に受音点を配してインパルス応答の測定を行い，解析結果と比較した。比較結果を**図 3.26** に示す。前面の受音点では，直接音とシートからの反射音が時間的に分離して見られ，背面受音点では透過音と回折音がひと固まりとなって見られている。両者の間にはおおむね良好な対応が得られた。計算結果より，シート単体の場合の内部伝搬の様子を可視化

72　3. 響きのシミュレーション

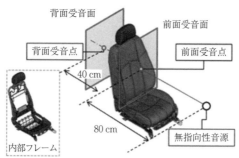

図 3.25　シート単体モデルの概要

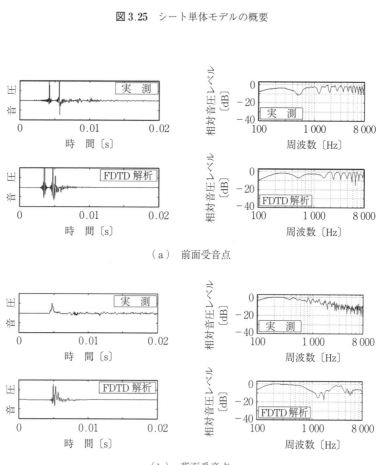

(a) 前面受音点

(b) 背面受音点

図 3.26　解析結果と実測結果の比較

図 3.27 シート単体モデルにおける材料内部への音響透過の様子

した結果を図 3.27（●A_3.3-1）に示す。この図には，シート内部への音波伝搬が見られている。

3.3.2 車室のインパルス応答解析

解析対象とした車両の概要を図 3.28 に示す。解析，実測ともに，運転手の頭部位置に無指向性点音源を配し，助手席，後部座席（運転席側）の頭部位置に無指向性マイクロフォンを配した。座席シートの表面は，布シートの条件とした。

各受音点におけるインパルス応答の時間特性，周波数特性を比較して図 3.29 に示す。時間特性を見ると，主要な反射音や，座席の違いによる反射音密度の違いについて，実測と計算の間に良好な対応が見られる（図 (a)）。周波数特性を見ると，低い周波数帯域では良好な対応が見られ，ディップの位置もおおむね対応している（図 (b)）。

図 3.30（●A_3.3-2，および，口絵 2）には，車室内の音波伝搬を可視化した結果を示す。狭小空間のため非常に短い時間範囲ながら，反射，透過，回折の繰り返しにより複雑な音場が形成される様子がわかる。

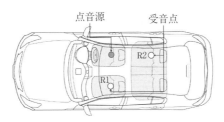

図 3.28 解析対象とした車室と点音源・受音点

74　　3. 響きのシミュレーション

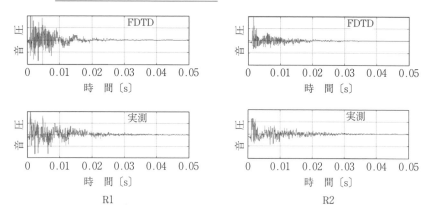

(a) 時間特性

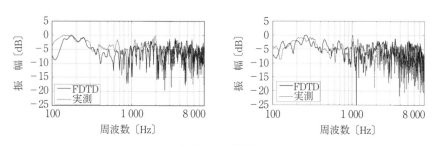

(b) 周波数特性

図 3.29　インパルス応答の比較

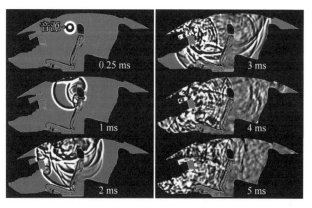

図 3.30　車室内音波伝搬の可視化

引用・参考文献

1) 坂本慎一：凹曲面をもつ空間の音響設計における波動音響解析の利用，音響技術，**41**(1)，pp.10-16（2012）
2) 坂本慎一，横田考俊，橘　秀樹：壁面拡散処理が室内音場の拡散性に及ぼす影響，日本音響学会研究発表会講演論文集，pp.945-946（1998）
3) S. Sakamoto, H. Nagatomo, A. Ushiyama, and H. Tachibana：Calculation of impulse responses and acoustic parameters in a hall by the finite-difference time-domain method, Acoust. Sci. Tech., **29**(4), pp.256-265（2008）
4) 坂本慎一，佐藤史明，矢野博夫，橘　秀樹：建築音響と環境騒音制御における音場の可視化，可視化情報，**27**(104)，pp.19-25（2007）
5) 坂本慎一，橘　秀樹，岡部文彦，横田考俊：差分法による室内音圧分布の可視化，日本音響学会春季研究発表会講演論文集，pp.1107-1108（1999-03）
6) 後藤牧太：日光廟の啼竜，理学会誌（東京高等師範学校），**7**(5)，pp.1-3（1913-05）
7) 後藤牧太，長畑順一郎：再び啼竜につきて，理学会誌（東京高等師範学校），**7**(5)，pp.4-10（1913-05）
8) 佐藤武夫：日光東照宮の鳴竜について，早稲田建築学報，**5**，pp.46-55（1927-09）
9) 中村清二，小幡重一，栗原嘉名芽：鳴き竜，自然科学と博物館，**7**(3)，pp.6-15（1936-03）
10) 石井聖光，平野興彦：本地堂の"鳴き竜"復元に関する研究，生産研究，**17**(4)，pp.1-7（1965-04）
11) 横田考俊，坂本慎一，橘　秀樹，石井聖光：FDTD法による鳴き竜現象の数値解析と可聴化，日本建築学会環境系論文集，**73**(629)，pp.849-856（2008）
12) 横田考俊：室内における音響拡散・反射対の効果に関する研究，博士学位論文（東京大学）（2001-03）
13) J. P. Berenger：A perfectly matched layer for the absorption of electromagnetic waves, J. Comput. Phys., 114, pp.185-200（1994）
14) 内藤洋一，坂本慎一，橘　秀樹：差分法による開領域数値解析のための完全吸音境界層の検討─音波の進行方向を考慮した方法，日本音響学会春季研究発表会講演論文集，pp.849-850（2001-03）
15) T. Yokota, S. Sakamoto, and H. Tachibana：Sound field simulation method by

combining finite difference time domain calculation and multi-channel reproduction technique, Acoust. Sci. Tech., **25**, pp.15-23 (2004)

16) D. M. Sullivan：A frequency-dependent FDTD method using z transformations, IEEE Trans. Antennas Propag., **40**, pp.1223-1230 (1992)

17) J. Escolano, F. Jacobsen, and J. Lopez：An efficient realization of frequency dependent boundary conditions in an acoustic finite-difference time-domain model, J. Sound Vib., **316**, pp.234-247 (2008)

18) 鹿野　洋，横山　栄，坂本慎一，笹岡岳陽：3次元FDTD法による車室内音場解析―拡張作用境界モデルの適用，第9回ITSシンポジウム2010，pp.127-132 (2010)

第4章
不快な音のシミュレーション

　われわれの生活のまわりには音があふれているが，気にならない音もあれば気になる音もあり，心地よさを感じる音もあれば不快感を生じるような音もある。人々が不快と感じる音は**騒音**（undesired sound）と呼ばれるが，そのような音はなるべく低減すべく，対策が施されるべきである。本章では，騒音に関わる諸問題に対するFDTDシミュレーションの応用例を紹介する。4.1節では**道路騒音**（road traffic noise）に関わる応用例として，**遮音壁**（noise barrier），**掘割・半地下道路**（depressed/semi-underground road）といった騒音対策工を取り上げ，その対策効果を可視化した事例を紹介する。道路交通騒音は**環境騒音**（environmental noise）において代表的な騒音源であり，4.1節では外部空間における騒音の問題を対象としている。外部で発生した騒音は空気中を伝搬し，建物外周壁を透過して室内に侵入することで，居住者に影響を与える。したがって，建築音響工学の分野では壁体の遮音が重要な技術要素となっている。4.2節では，このような壁体による遮音のシミュレーションにFDTD解析を応用した事例を紹介する。騒音問題が生じる原因は，騒音源から発生した音波が空気中を伝搬する，いわゆる**空気伝搬音**（air-borne sound）だけではなく，機械などの振動源から発せられた**振動**（vibration）が直接床や壁に入力され，構造体を伝わって隣室などの離れた空間で音波として放射される，いわゆる固体伝搬音にもある。都市内の建物では，地下鉄の走行による振動が固体音として問題となる例や，昇降機などの設備機器の振動が固体音として問題となる例もある。問題を生じさせるのは機械的な振動源だけでなく，集合住宅では，上階の居住者の歩行や子供の飛びはねが振動源となる，いわゆる**床衝撃音**（floor impact sound）も大きな問題となっている。4.3節では，このような固体伝搬音の問題にFDTDシミュレーションを応用した事例を紹介する。

4.1 道路騒音

　交通量の多い幹線道路沿いを友人と歩いていて,「しゃべりにくいなあ」と感じたことはないだろうか。また,一人で歩きながら友人と携帯電話でしゃべっていて,「聞こえにくいなあ」と感じたことはないだろうか。道路交通騒音は,数ある環境騒音源の中でも,最も身近な騒音源である。道路交通騒音で問題となる技術的トピックは多岐にわたるが,それらは図4.1に示すように,音源（発生源）の問題と伝搬の問題の二つに大別される。伝搬の問題は,環境中を伝わってくる過程である空気伝搬音と,伝わってきた音が建物内に侵入する際/した後の問題である固体伝搬音・振動音響連成系問題の二つにさらに分けられる。自動車車両の音源は,それ自体が非常に高次の複雑系であり,これを詳細にシミュレートすることも重要な研究課題である。伝搬系では,さまざまな地表面,遮音壁などの音響障害物,その他構造物などの地物の影響が相互に絡み合い,これも複雑系の問題となる。工学的には,音源の問題と伝搬の問題をどちらも詳細にシミュレートすることは問題の規模が大きくなりすぎて現実的ではなく,それぞれを別々に問題設定することが多い。本節では,空気中の伝搬問題を取り扱い,道路交通騒音の伝搬に関わる事例を紹介する。

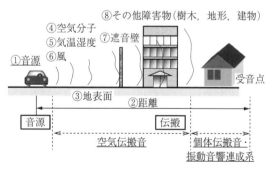

図 4.1　道路交通騒音の伝搬に関わる諸要因

4.1 道路騒音

4.1.1 遮音壁

遮音壁は，環境騒音の中で最も汎用的に用いられる制御手法である。図 4.2 に道路交通騒音の制御のために用いられるいくつかの遮音壁の事例を示す。高速道路など，騒音が大きな地域には，単純なまっすぐの壁ではなく，複雑な形状を有する，サイズの大きな遮音壁が建てられることが多い。そこで，図 4.3 に示すような 3 種類の遮音壁の周辺の音場を可視化し，音波の伝搬の特徴を比較した。

道路交通騒音問題は広い外部空間における騒音伝搬を問題とするが，大規模な音場において，広い周波数帯域にわたる伝搬を直接詳細に取り扱うことは技術的に大きな困難をともなう。道路交通騒音問題では直線的な道路構造を取り扱うケースが多いため，道路の断面形状をモデル化した 2 次元音場に対する解析を行うことで，道路上の音源を線音源と見なした場合の沿道における平均的な音のレベル（**等価騒音レベル**，equivalent continuous A-weighted sound pressure level）を実用的な計算精度で計算することができる。そこで，本項においても，遮音壁が設置された道路の断面形状を対象とした 2 次元解析を行っ

図 4.2 道路沿道環境を守る遮音壁の例

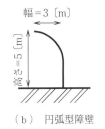
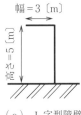

（a）単純障壁　　（b）円弧型障壁　　（c）L 字型障壁

図 4.3 計算対象とした遮音壁

た。音波伝搬の計算結果を図 4.4 に示す[1]。単純障壁の場合（図（a）），遮音壁の上端部に達した直達音によって 2 次音源が形成され，遮音壁の裏側に回折波が回り込む様子が観察される。それに対して，遮音壁上端部に蓋いをもつ円弧型障壁（図（b））と L 字型障壁（図（c））の形状では遮音壁の内側で複雑な反射が生じ，それらの反射波からの高次の回折波がつぎつぎと発生する様子が見られる。

このような回折の性状と遮音壁の減音効果の関係を調べるために，図 4.5 に示すように，音源と受音点がともに地面上にある場合の音圧の時間応答を計算

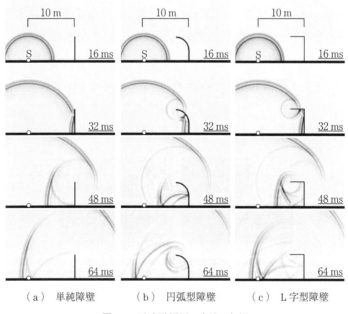

（a） 単純障壁　　　（b） 円弧型障壁　　　（c） L 字型障壁

図 4.4　遮音壁周囲の音波の伝搬

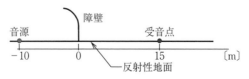

図 4.5　音源と受音点の位置関係

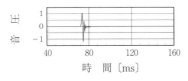

(a) 遮音壁なし

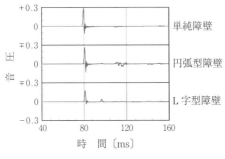

(b) 遮音壁あり

図 4.6 時間応答の比較

した結果が**図 4.6** である．遮音壁なしの場合（図（a）），70 ms 付近に直達音が到来する．それに対して遮音壁がある場合（図（b）），すべての形状について 80 ms に最も大きな 1 次回折波が見られるが，その強さは蓋いをもつ円弧型障壁，L 字型障壁では単純障壁よりも弱くなっている．つぎに，90 〜 120 ms の時間帯には 2 次回折波が見られるが，単純障壁では，2 次回折波は微弱で，1 次回折波の寄与が支配的であるのに対して，円弧型障壁では 100 〜 120 ms，L 字型障壁では 90 〜 100 ms あたりに大きな 2 次回折波が見られる．

このように計算された音圧の時間応答を周波数分析し，遮音壁がない場合と遮音壁を設置した場合のエネルギー差をとることにより，**挿入損失**（insertion loss）を求めた結果を**図 4.7** に示す．挿入損失は遮音壁による騒音の低減効果を示す代表的な評価指標である．図には，2 次元音場，および，3 次元音場における実験結果との比較も示しているが，実験と計算の対応も良好である．全体的に見ると，音圧の時間応答に見られた 1 次回折波の小さい方から，すなわち，L 字型障壁，円弧型障壁，単純障壁の順に挿入損失の値が高い．周波数特

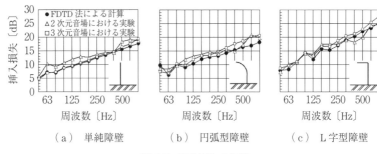

(a) 単純障壁　　　(b) 円弧型障壁　　　(c) L字型障壁

図 4.7　挿入損失の比較

性を詳細に見ると，1 次回折波，2 次回折波の干渉により，それらの到達時間差に応じた周波数帯域で挿入損失のピーク・ディップが見られる。

4.1.2　掘割・半地下道路

交通量の多い都市部の道路では，図 4.8 に示すような半地下構造や掘割構造が用いられることがある。このような構造では，側壁，路面，天蓋などの反射面に囲まれた空間に音源があるので多重反射，**多重回折**（multiple diffraction）が生じ，道路空間内部での音響伝搬と，それにつづく外部空間への音響放射が非常に複雑になる。本項では，掘割・半地下道路における騒音伝搬を可視化した例を示す[1]。

図 4.9 に示す掘割道路と半地下道路を計算対象とした。図（a）と図（b）が掘割道路，図（c）と図（d）が半地下道路で，（a）と（c）は路面，側壁，天蓋のすべての面が反射性のケース，（b）と（d）は両側の側壁面を全面吸音性（周波数に関わらず 80％の吸音率）としたケースである。音源（図中，S）

(a) 掘割道路　　　　　　(b) 半地下道路

図 4.8　掘割・半地下道路の例

4.1 道路騒音

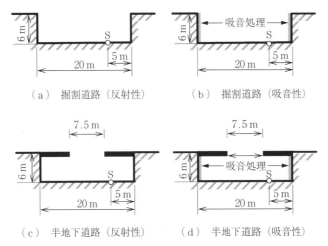

(a) 掘割道路（反射性）　　(b) 掘割道路（吸音性）

(c) 半地下道路（反射性）　(d) 半地下道路（吸音性）

図 4.9　計算対象とした掘割道路と半地下道路

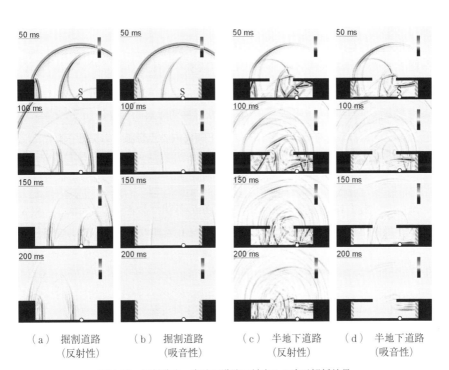

(a) 掘割道路　　(b) 掘割道路　　(c) 半地下道路　(d) 半地下道路
　　（反射性）　　　（吸音性）　　　（反射性）　　　（吸音性）

図 4.10　掘割道路，半地下道路に対する 2 次元解析結果

からインパルスを発生した後，50 ms ごとの音圧分布を図 4.10 に示す。反射性の掘割道路の場合（図（a）），対向する両側壁面の間で反射が繰り返され，その音波が上部の空間へ回折して伝搬する。掘割道路の側壁を吸音した場合（図（b））は，内部の多重反射が抑制され，それによって外部に伝搬する騒音の総量も低減する。反射性の半地下道路の場合（図（c））には，上部に蓋がかかっているために構造内部での反射が多くなり，その伝搬方向も多様で複雑になっている。反射音波が増大するため，上部空間に伝搬する音波の波面も多くなる様子が見られる。この場合も，図（d）のように側壁を吸音処理することによって内部空間での反射が減り，開口部を通して外部に伝搬する音が低減している。また，この場合には吸音処理が側壁のみで路面，および，天井面は反射性のままであるため，縦方向の多重反射が依然として残っている様子が見られる。

4.1.3　半地下道路の 2.5 次元解析

図 4.11 のように，同一断面が無限に連続する音場に点音源がある場合の応答を，その断面をモデル化した音場を対象とした 2 次元解析の解をもとに求める計算方法が提案されている。その詳細な理論的背景は文献 2），3）を参照されたいが，この手法を応用すれば，半地下道路内の点音源から発せられた騒音が，道路構造外部にどのように放射されるのか，その特性を把握することができる。

そこで，図 4.12 に示すように半地下道路の形状パラメータを定義し，いくつかの条件について開口部中心から放射される騒音の指向性パタンを計算し

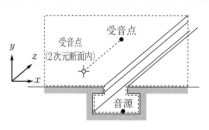

図 4.11　2.5 次元音場の概念図

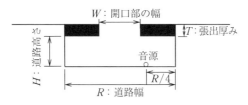

図 4.12 半地下道路の形状を決めるパラメータ

た[4]。2次元 FDTD 解析においては，空間離散化幅 0.025 m，時間離散化幅 0.01 ms とし，多重反射により時間応答の長さが長くなるため，600 000 ステップ（6秒分）の応答を計算した。計算された応答が含む周波数成分は 50 Hz から 2.5 kHz の広帯域にわたっており，その周波数成分をもとに，音源が自動車の走行騒音スペクトルを有すると想定した場合の受音点における A 特性音圧レベルを計算した。解析結果例を**図 4.13** に示す。図には，解析結果とともに，縮尺模型実験による**放射指向性**（radiation directivity）の結果もあわせて示している。数値解析結果と実験結果の対応は良好であった。半地下道路の開口部

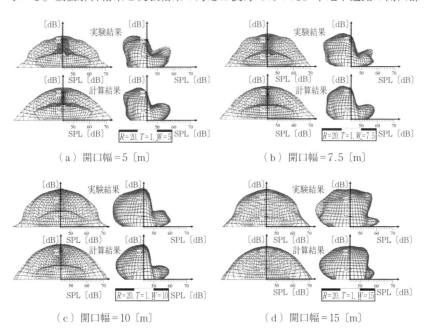

図 4.13 半地下構造からの騒音放射指向性の計算結果と実験結果の比較

は奥行方向に長く開いているので，騒音放射指向性はそれを見る断面によって大きく異なっている。図4.13では，図（a）～（d）の各左図が道路の縦断方向断面，各右図が横断方向断面における分布を表しているが，道路の横断方向断面で見ると放射指向性が斜め上方に強く，また，音源位置が偏っているので左右で非対称なパタンとなる。開口幅の大きさの違いによって，横断方向断面内でエネルギーが放射される方向が特徴的に異なる様子がわかる。縦断方向の指向性は上方向より横方向に強い。

4.2 窓 の 遮 音

都市環境において，道路交通騒音や建設工事騒音などの騒音問題の低減が課題となっている。このような都市域において，騒音源と隣接する建物内の居住空間を快適な室内音環境とするためには，建物ファサードの**遮音性能**（sound insulation performance）を十分に確保する必要がある。このために，適切な音環境予測，および，建物の遮音設計が必須となるが，これらの定量的な評価に加えて，建設後の室内音環境を聴感的に実体験できるシステムがあれば有益である。本節では，壁を介した透過音をシミュレートできる**振動音響連成解析**（vibroacoustic analysis）の概要を示すとともに，この解析法を応用した，自動車走行音の居室への透過音シミュレーションについて述べる。

4.2.1　ガラス板の遮音解析モデル

本項では，遮音性能をモデル化するために重要となる，ガラス端部の境界条件の取扱いについて述べる。詳細な解析理論は文献5）を参照されたい。

ガラス板がサッシ枠に固定される際には，ガラス用のパテやシリコン材料により固定される場合が多い。このような場合，ガラスの遮音性能は固定する材料の**粘弾性**（viscoelasticity）的な挙動に大きく影響を受けることが示されている[6]。このため，本項で取り扱う透過音シミュレーションにおいても，ガラス端部を，**エネルギー散逸**（energy dissipation）を含む**弾性支持端**（elastically

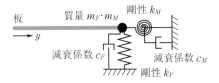

図 4.14 想定したバネ–マス系

supported boundary）として取り扱うこととする．ガラス端部における所望のエネルギー吸収特性を実現するため，板の境界を振動的に等価なバネ–マス系に置換する．音響系においてはすでにこの方法は坂本らによって提案されており，周波数特性を有する吸音境界条件を表現するために利用されている[7]．概念図を図 4.14 に示す．振動エネルギーが伝搬すると，端部において想定したバネ–マス系に対して**外力**（external force）F と**曲げモーメント**（bending moment）M が作用し，当該バネ–マス系は振動する．この振動は次式によって表現される．

$$F = m_F \frac{\partial^2 w_0}{\partial t^2} + c_F \frac{\partial w_0}{\partial t} + k_F w_0 \tag{4.1}$$

$$M = m_M \frac{\partial^2}{\partial t^2}\left(\frac{\partial w_0}{\partial y}\right) + c_M \frac{\partial}{\partial t}\left(\frac{\partial w_0}{\partial y}\right) + k_M \left(\frac{\partial w_0}{\partial y}\right) \tag{4.2}$$

ここで，w_0 は，端部の振幅を表し，m_M，k_M，c_M，m_F，k_F，c_F は，それぞれ曲げモーメント M と外力 F に対する，バネ–マス系の質量，**バネ定数**（spring constant），**減衰定数**（damping constant）を表す．この式に差分近似を施し，振動 FDTD 解析における境界条件として用いる．ここで，板の端部に想定したバネ–マス系の各係数（m_M, k_M, c_M, m_F, k_F, c_F）に適切な値を設定することにより，ガラス端部における所望の散逸性状をモデル化することができる．詳細な設定方法については，上述した文献を参照されたい．

ここでは，パテにより固定された 10 mm 厚ガラスの**透過損失**（transmission loss）に関するシミュレーション結果を示す．境界条件における弾性支持端の設定条件を図 4.15 に示す．これらのバネ–マス係数を適切に設定することにより，実際のガラス端部におけるエネルギー吸収係数の実測値をシミュレートす

88　　4. 不快な音のシミュレーション

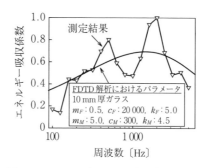

図 4.15　10 mm 厚ガラスの支持端における
　　　　エネルギー吸収係数

る。図 4.16（a）に示されるような**残響室**（reverberation room）対，および，その隔壁に配置されたガラス板（幅 1.5 m，高さ 1.25 m）をモデル化し，3 次元 FDTD 解析によって音源側，および，透過側における音場を計算した。透過損失の算出方法は以下の通りである。

図 4.16（a）に示す位置に音源を配置するとともに，音源側・透過側の残響室内において，おのおの配置した 490 点の受音点群におけるインパルス応答を計算した後，1/3 オクターブバンドごとの単発音圧暴露レベルを算出し，下式により透過損失 R を算出した。

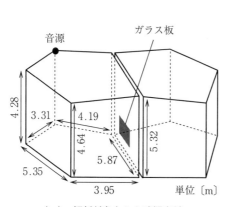
（a）解析対象とした残響室対

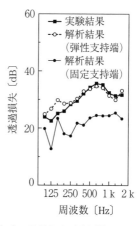
（b）計算および実測結果の比較

図 4.16　解析対象と結果の比較

4.2 窓の遮音

$$R = \overline{L}_1 - \overline{L}_2 + 10\log_{10}\frac{S}{A_2} \tag{4.3}$$

$$A_2 = \frac{55.3\,V_2}{cT_2} \tag{4.4}$$

ここで，$\overline{L}_1$，$\overline{L}_2$ は音源側，および，透過側の各受音点における単発音圧暴露レベルのエネルギー平均値，S は試料面積，A_2 は受音室の**等価吸音面積**(equivalent sound absorption area，吸音力)，V_2 は受音室の容積，T_2 は受音室の残響時間である。計算結果と実測との比較を図4.16(b)に示す。なお，ガラス周辺を無損失の固定支持端として計算した遮音性能もあわせて記載している。固定支持端として計算した場合，解析結果は実測と比較して低い値を示すが，弾性支持端として計算した結果は，実測結果における遮音特性をよく表現できている。このことから，次項に示す透過音シミュレーションにおいては，上述した弾性支持端を適用した解析方法を用いることにする。

4.2.2 透過音のシミュレーション

都市における自動車の騒音伝搬を模式的に**図4.17**に示す。自動車から発生した走行音は建物ファサードまで伝搬し，窓を透過した後，室内へ放射される。室内へ透過した外部騒音の大きさや音色は，サッシを含む窓全体の総合的な遮音特性によって決まる。本項で述べる透過音シミュレーション手法では，ガラス板を介した透過音に焦点を絞り，その透過音特性をFDTD解析によって計算した事例を示す。

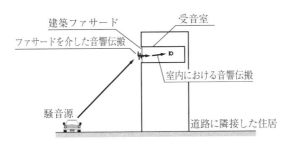

図4.17 道路に隣接する建物居室への自動車騒音の伝搬

90   4. 不快な音のシミュレーション

透過音のシミュレーション手法の概要を以下に述べる。このシミュレーションでは，自動車走行音の実測データ，および，FDTD 解析によって得られた遮音特性データの両者を，たたみ込み演算などの信号処理によって統合し，最終的に自動車走行音が居室へ透過した場合の音データを作成する。詳細な作成プロセスを以下に順を追って示す。

Step 1：実走行音データの収録　建物からの反射の影響が小さいと考えられる道路において 1 台の自動車が走り去る音を収録し（図 4.18（a）），Δt ごとに N 区間に分割する（本検討では，$\Delta t = 0.1$ 〔s〕）。分割した各区間の収録データに対して Step 2 以降で示す処理を施し，室内へ透過する音を模擬する。

Step 2：数値解析による遮音特性のシミュレーション　走行状態の自動車から建築ファサードに到来する走行音の入射角度 α は，図 4.18（b）に示すように時々刻々変化する。ガラス板の遮音特性は，入射角度により変化するため，図（c）に示すように，入射角度 $\alpha = 0 \sim 70$ 〔°〕まで 10°ごとに移動させて，屋外と屋内を想定した入射角度別のインパルス応答を算出する。

Step 3：自動車走行音のシミュレーション　Step 1 で得た N 個の各走行音データが収録された時刻における自動車位置は，定常走行を仮定すれば，正面を通過する時刻，および，その走行速度 v から推定できる。正面を通過する時刻は，最も音圧が高い時刻とする。窓ガラスへの入射角 α は，推定した自動車位置からわかる。Step 3 では，ある区間 k の走行音データと，当該データ収録時の音波入射角 α のインパルス応答（数値解析により算出したもの）のたたみ込み演算を行い，その結果をすべての区間について Δt ごとにずらしながら重ね合わせることによって，居室内で受聴される自動車走行音を作成する（図 4.18（d））。以上の手順により，居室内における音波の到来方向を加味した走行音データを作成する。

Step 4：交通流のシミュレーション　交通流を再生する時間 T，および，その時間内に走る車両数 M を決め，各自動車の走行音の再生を開始する時刻を乱数により決定し，M 台分の自動車走行音を合成する（図 4.18（e））。以上の手順により，所望の交通流条件を満足する走行音データを作成する。

Step 1：実走行音データの収録

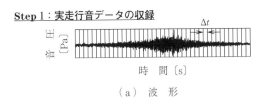

（a）波形

Step 2：数値解析による遮音特性のシミュレーション

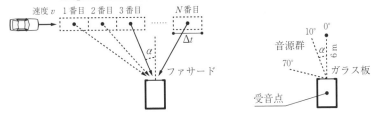

（b）車両走行音の居室に対する入射角度　　（c）数値解析における設定条件

Step 3：車両走行音の合成

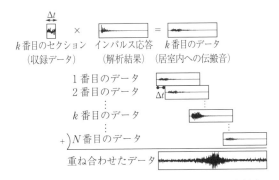

（d）居室内で受聴される1台の自動車による走行音

Step 4：交通流の模擬

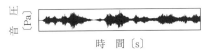

（e）居室内で受聴される複数台の自動車による走行音

図 4.18 居室へ透過する自動車走行音のシミュレーション方法

4.2.3 板ガラスの種類による透過音の変化

単純な条件を想定した透過音シミュレーションを行った結果を示す。モデル化した居室の詳細を図 4.19 に示す。想定した自動車走行レーンは居室の窓面から 7.5 m 離れている設定とする。居室の寸法は幅 2.7 m，奥行 3.6 m，高さ 2.2 m であり，天井に垂直入射吸音率 0.8，それ以外の側面には垂直入射吸音率 0.2 を与える。当該居室の開口部には幅 1.8 m，高さ 1.8 m のガラス板が設置される。居室内における受音点の高さは 1.2 m である。ガラスを介した透過音と外部空間でそのまま聞いた音の比較も行えるよう，屋外において受聴される自動車走行音についてもシミュレートする。ガラス種別の条件は 6 mm 厚ガラス，10 mm 厚ガラス，複層ガラス（2 枚の 6 mm 厚ガラスで 6 mm 厚空気層をはさむ構成）である。振動解析においてガラス板に与えた物性値は，密度 $2\,500\,\text{kg/m}^3$，ヤング率 $7.16 \times 10^{10}\,\text{N/m}^2$，ポアソン比 0.22 である。境界条件は，4.2.1 項で述べた弾性支持端とする。走行音データとして，**無指向性マイクロフォン**（omnidirectional microphone）により，時速 50 km/h で走行する

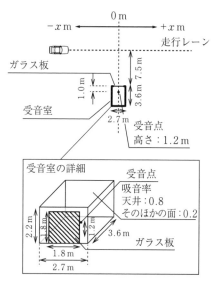

図 4.19 自動車走行音のシミュレーションにおいて想定した状況

4.2 窓の遮音

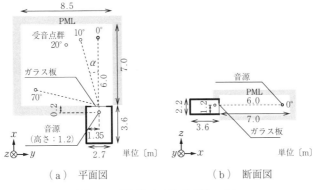

図 4.20 解析した 3 次元音場モデル

自動車走行音を収録したものを用いた。

また，入射方向別のガラスを介した伝搬特性（FDTD 解析によって得られるガラスを介したインパルス応答）については，図 4.20 に示す 3 次元音場モデルを対象とした解析により取得した。ここで，屋外領域は，開領域を模擬するため，PML（1.2.4 項参照）により囲ってある。詳細な条件設定については文献 8) を参照されたい。

透過音シミュレーションを行った結果を図 4.21 に示す。この図では，1 台の自動車が通り過ぎた際の，受音点における相対音圧レベルの変化を表しており，受音点の前面を通過した時刻を 0 s としている。

外部音場（図中，Case 0）では，当然のことではあるが，自動車の通過により，各周波数において 0 s を頂点とするような音圧レベルの時間変化を示している。これに対して 6 mm 厚ガラス（図中，Case 1）では，2 kHz 帯域において，±1.2 s 付近の時刻で音圧レベルが高まるような変化を示している様子がわかる。これは，ガラス板に対して音波が斜入射となるような時刻において，6 mm 厚ガラスの場合には 1.9 kHz 付近の周波数で生じる**コインシデンス効果**（coincidence effect）により，多量の音響エネルギーが透過しているからである。この現象は，10 mm 厚ガラス（図中，Case 2）においても同様に見られ，この場合の**コインシデンス限界周波数**（coincidence critical frequency）は 1.1

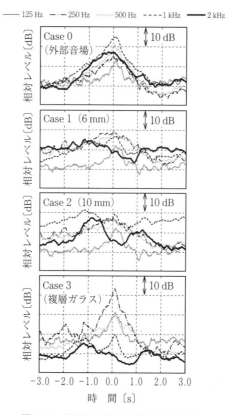

図 4.21 透過音の時間変動特性に関する
シミュレーション結果

kHz 程度であることから,その特異な音圧レベル変化は,2 kHz だけでなく 1 kHz の周波数帯域においても生じている。一方,複層ガラス(図中,Case 3)においては,250 Hz 帯域の透過音が卓越している。これは,質量(ガラス板)―バネ(空気層)―質量(ガラス板)という共振系によって生じる,複層ガラス特有の**共鳴透過**(resonance transmission)によるものである(複層ガラスの共鳴透過周波数は 280 Hz)。

これまでに述べた周波数特性の時間変化を,よりわかりやすく表現するた

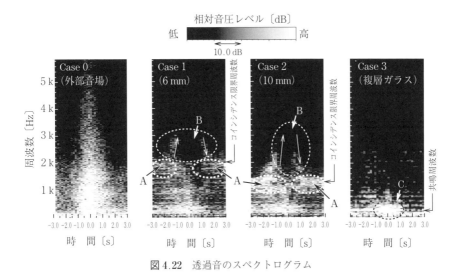

図4.22 透過音のスペクトログラム

め，シミュレートした透過音の**スペクトログラム**（spectrogram）を図4.22に示す。Aと示した領域における音圧レベルが高いが，これはそれぞれのガラス板のコインシデンス効果により，音が透過しやすくなっているからである。**コインシデンス周波数**（coincidence frequency）は，音の入射角度が大きくなる（ガラスの正面に近づく）にしたがって，より高い周波数にシフトするが，この周波数のシフトする現象がBの領域において確認できる。また，複層ガラスの共鳴透過はCの領域で確認できる。

ガラス板を介した透過音の周波数特性が，コインシデンス効果，および，共鳴透過の影響を大きく受けていることはすでに述べた通りであるが，これらの音響現象について，2次元FDTD法を用いて解析した例を動画として示す（💿 **A_4.2-1**，**A_4.2-2**）。コインシデンス効果に関しては，10 mm厚ガラスのコインシデンス限界周波数（1 150 Hz）の音波が，6 mm厚，および，10 mm厚ガラス板へ擦過入射した際の音場性状を示している。なお，この動画では，透過側音場の音波振幅を10倍に拡大して表示している。6 mm厚ガラスへの音波入射時に対して，10 mm厚ガラスの場合には，より多量の音響エネルギーが

透過している様子がわかる。一方，共鳴透過に関しては，6 mm 厚の単板ガラス，および，複層ガラスに対して，当複層ガラスの共鳴透過周波数である 280 Hz の音波が入射した際の音場性状を示している。この動画においては，透過側の音波振幅を 10 000 倍に拡大して表示している。複層ガラスは，二重構造となっているにも関わらず，単板ガラスよりも多量の音響エネルギーが透過している様子がわかる。また，音波の入射後も，複層ガラスからの音響放射がつづいている様子も見られ，これは共振系が形成されていることを示唆している。

実際の建物においても上述した現象が生じているかどうかを確認するため，図 4.23（a）に示す建物内の一室において，隣接する道路から伝搬する自動車走行音を収録し，シミュレーション結果と比較した。この建物と道路の位置関係を図（b）に示す。道路における自動車走行レーンの中心と居室窓面の距離は約 23 m であり，また，その自動車走行レーンは同図に示すように，直線状に長く伸びており，自動車走行音の収録に好都合な立地となっている。

前項と同様の方法を用いて透過音シミュレーションを行い，スペクトログラムとして表示した結果を図 4.24 に示す。コインシデンス周波数において，音響透過が顕著となっている様子（図中，領域 A）や，居室前面を通過する際のコインシデンス周波数のシフトする様子（図中，領域 B）が，両者でほぼ一致している。これらの結果が示すように，FDTD 法による振動音響連成解析を用いれば，窓を介した透過音の特徴を精度よく再現することができる。

（a） 対象建物，および，対象室

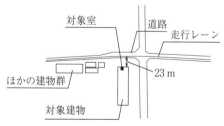
（b） 建物と道路の位置関係

図 4.23　対象建物

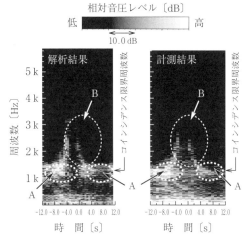

図 4.24　シミュレーションおよび実測結果の比較

4.3　固　体　音

　固体音とは，音響用語辞典[9]によれば，「各種の振動源の振動が建物構造体などの固体中を伝わり，それが壁，床，天井などを振動させることによって放射される音」である。同書には**振動源**（vibration source）として，建築設備機械や給排水設備，扉の開閉，人間の歩行，地下鉄の走行による振動，建設工事や工場の機械の振動が挙げられている。この固体音はおもに騒音として問題となることが多い。例えば，アパートやマンションなどの集合住宅で子供が頻繁に走り回ったり飛びはねたりすることで，"ドタドタ・ドンドン"という騒音が発生し，下階などの近隣住戸から苦情が生じる場合がある。この騒音を特に**重量床衝撃音**（heavy-weight floor impact sound）と呼ぶ。また，ホテルなどでは，エレベータの駆動や空調設備による低周波数の振動や騒音が原因となり，安眠が妨害されるなどの問題が生じる場合もある。これらは建物構造体そのものが振動することによって生じるため，建設後に対策をとることはほぼ不可能と考えられる。したがって，快適な音環境を提供するためには，設計者が

これらの騒音の大きさを事前に把握しておくことが必要となるが，固体の振動伝搬と音波の放射の両方を正確に予測し，評価することはその複雑さからきわめて困難であるといわざるを得ない。

重量床衝撃音に関しては，建築的な種々の要素，例えば，**床スラブ**（floor slab）の大きさや厚さ，下階の部屋の大きさや吸音率などが騒音の大きさに与える影響を計算結果や実験結果から推定する方法[10), 11)]が考案されている。これらの方法は計算負荷（計算時間，必要メモリなど）が非常に小さく，設計業務上に必要となる床衝撃音遮断性能等級などの評価指標を，一定の誤差の範囲内で予測することが可能であるため，広く実務的な設計に役立てられてきた。しかしながら，昨今の建築空間構成に関するニーズは多岐にわたっており，それらすべてに一貫性をもって対応するためには，新しい建材や施工技術が開発されるたびに予測に用いるデータベースを再構築し，検証をつづけていかねばならない。

一方で，計算機性能の著しい発展は，建物構造体全体の振動や放射音の解析を可能にしつつある。構造体全体を解析する手法のうち，比較的計算負荷の低いものとして，**統計的エネルギー解析**（statistical energy analysis：**SEA**）が挙げられる。建築的用途に限らず，自動車や航空機など幅広い用途に利用されているが，物理現象をエネルギーの観点からマクロにとらえる手法であるため，予測精度にはある程度の制限があるものと思われる。また，振動伝搬と音響放射をミクロにとらえる手法としては有限要素法が広く用いられている。こちらも建築的用途に限らず，あらゆる工学分野に適用されている手法であり，分野によってはデファクトスタンダードとなりつつあるが，建築分野の固体音問題に関しては解析対象が大規模とならざるを得ないため，計算負荷が大きくなることから，その適用例はそれほど多いとはいえない。

さて，本節ではこの固体音の解析を FDTD 法で行った例を紹介する。FDTD 法も振動伝搬と音響放射をミクロに取り扱うことになるが，有限要素法と比べ，定式化や計算の並列化が容易であり，今後，初学者を含めた幅広い利用が期待される。1.1 節では音場の解析に関する FDTD 法を紹介したが，固体の振

動伝搬もその支配方程式，すなわち，運動方程式と**フックの法則**（Hooke's law）を同様の方法で差分近似することで解析が可能である。また，空気などの流体をせん断弾性力が生じない**等方性固体**（isotropic solid）と見なすことで，**固体流体間の境界**（solid-fluid interface）についても特別な処理を必要とせず解析することが可能である[4)~6)]。この手法をここでは**立体モデリング**（solid modeling）と呼ぶ。固体音だけでなく，2.6節，5章，および，8.2節で紹介されている事例など，固体振動と音響放射の両方を考慮せねばならない問題に対し，幅広く適用することができる。ただし，立体モデリングでは壁や床などを含めた解析領域全体を直方体のセルで離散化する必要があり，また，流体部分も固体と同様の計算をするため，計算負荷が莫大となることが欠点である。そこで，壁や床などの板状の部分は**板振動の方程式**（plate equation）を，また，柱や梁などの棒状の部分は**梁振動の方程式**（beam equation）をそれぞれ支配式とすることで，計算負荷を低減する手法が提案されている[15)~18)]。この手法をここでは**板梁モデリング**（plate/beam modeling）と呼ぶ。8.1節で紹介されている手法もこれに分類される。この手法により，比較的大規模な建物についても振動伝搬を予測することが可能となりつつある。4.3.1項では小規模建物を対象とし，上記2種類の方法で固体音解析を行った例を紹介する。また，4.3.2項では後者の方法を用い，大規模建物の振動解析を行った例を紹介する。

4.3.1 小規模建物の固体音解析

ここで対象とする建物は**壁式の鉄筋コンクリート造**（wall-type reinforced concrete structure）で幅4m，奥行11.4m，高さ6.25mの2階建ての建物である。図**4.25**にこの建物の断面図と平面図を示す。2階には天井高2.2mの一つの室があり，1階は天井高3.55m，および，3.5mの二つの室からなる。図**4.26**に上室と下室1の室内写真を示す。下室1，2の天井となる床スラブは厚みが違っており，それぞれ15cmと20cmである。図4.26に見られるように上室には窓，木枠，梁などがあり，また，下室には扉と若干の壁面吸音材が

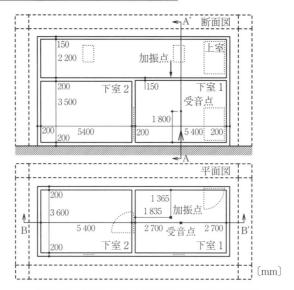

図 4.25 対象とした小規模建物の断面図と平面図

（a）上室

（b）下室 1

図 4.26 対象とした小規模建物の室内写真

設置されているが，これらは簡単のために解析では考慮しないこととする。図 4.25 の加振点を**インパルスハンマ**（impulse hummer）という加振力を測定することができるハンマで叩いた場合の A-A' 断面，B-B' 断面の振動と，それにより放射される音波の様子を立体モデリングの FDTD 法により可視化した結果をそれぞれ**図 4.27**，**図 4.28** に示す[12]（ **A_4.3-1**，**A_4.3-2**，および，口絵 3)。図中，白抜きの部分がコンクリートを表しており，その振動変位を黒い矢印で表現している。矢印の大きさは見やすさを考慮して実際の変位を

4.3 固体音

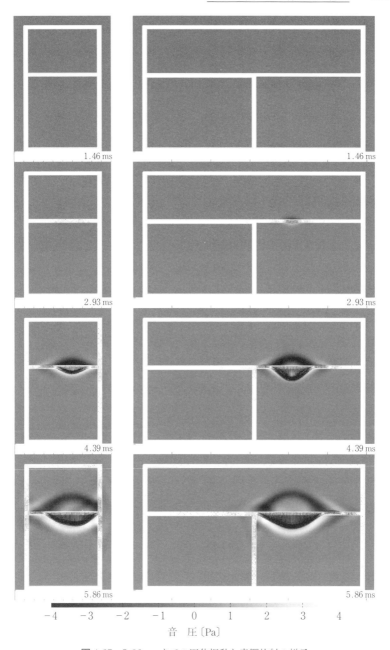

図 4.27　5.86 ms までの固体振動と音響放射の様子

102   4. 不快な音のシミュレーション

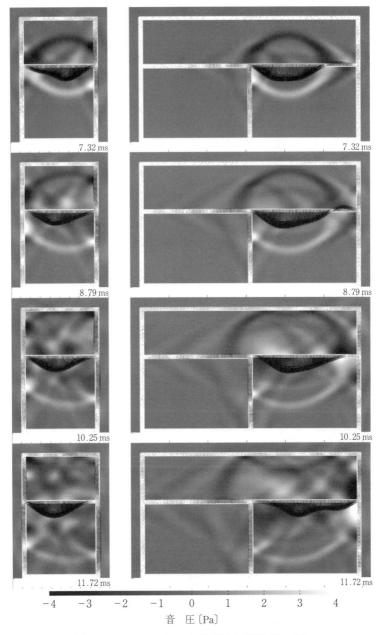

図 4.28　11.72 ms までの固体振動と音響放射の様子

40 000 倍して表示している。また，カラーバーに示す灰色の濃淡（動画ではカラー）で音圧の分布を表現している。

固体中には縦波と横波の両方が伝搬し，その伝搬速度は縦波のほうが速いことが知られている。固体の形状が棒状や板状の場合，無限大固体中と同様に縦波や横波が伝搬するが，面外変形については曲げ波として解釈することが多い。この曲げ波の伝搬速度は周波数依存性をもち，高周波数成分ほど速い（2.6節参照）。図 4.28 の 8.79 ms 経過後の可視化結果を見ると，加振されて大きく変形した床スラブと同様の形状の**球面波**（spherical wave）が上室右部分，および，下室 1 に放射されていることがわかる。一方で，上室左部分や下室 2 では直線的な波面が放射されている様子が見てとれる。はじめてこの結果を見たときには，伝搬速度の速い縦波が横波より速くコンクリート中を伝搬し，それによって直線的な波面が放射されたものと考えていたが，よく見ると上室と下室 2 で上下対称位置の音圧の正負が逆転しているため，2.6 節の図 2.21 で示されるような縦波による放射ではないことがわかる。すなわち，これは曲げ波の高周波数成分が速く伝搬し，それによって上下対称位置で逆位相の音波が放射された結果であると解釈できる。したがって，後述する曲げ波からの放射のみを考慮した板梁モデリングによる解析でも同様の波面が観測される。図 4.25 の受音点での実測音（S_4.3-1）と本解析による予測音（S_4.3-2）をご一聴されたい。違いはわかるがどちらが実測音でどちらが予測音かは判別が難しく[19]，騒音として重要となる音量感についても同程度となる解析精度が得られていることがおわかりいただけるものと思われる。

つぎに，同じ対象建物について板梁モデリングを用いて解析を行った例を紹介する。このモデリング手法では，建築構造を構成する各部要素を**板要素**（plate element），もしくは，**梁要素**（beam element）により置換した後，これらの要素間を連続条件にしたがって連結し，構造全体の振動特性を計算する。この手法を用いる場合，**3 次元メッシュ**（three-dimensional solid mesh）による立体モデリングに対して，解析の次元を 2 次元，もしくは，1 次元へ低次元化できるため，計算負荷を削減できる。その反面，各板・梁要素の連続条件を

4. 不快な音のシミュレーション

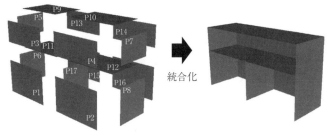

（a） 板要素の配置　　　　　（b） 構造体のモデル化

図 4.29　コンクリート構造を対象とした板要素によるモデル化

正確にモデル化しないと，精度の高い結果が得られないことや，モデル化したい構造要素が板状，もしくは，梁状でない場合には解析が難しいという欠点も有する。

　図 4.25 に示した構造を，**図 4.29**（a）に示すように 17 枚の板要素の複合体としてモデル化し，これらの要素を統合することにより，最終的に図（b）に示した構造体の振動音響特性を解析する。なお，図（b）においては，内部空間を表示するため，部分的に壁構造を省略して示す。解析の詳細については，文献 15），16) を参照されたい。解析結果を**図 4.30**（💿 **A_4.3-3**）に示す。この図では，図（a）において，構造体の**曲げ変形**（bending deformation）の様子を示しており，実際の変位を 20 000 倍して表示している。図（b）では，各板の振動から生じる音響放射の様子を示している。なお，カラーバーに示す灰色の濃淡により，面外変位，および，音圧の分布を表現している。下室 1 の天井スラブが加振されると，スラブが変形し，これにともなって音響放射が生じている様子が見てとれる。また，6.0 ms のスナップショットでは，上述したように，空気中の音波より速く伝搬する曲げ波に起因した音響放射が，上室，および，下室 2 に縞模様となって現れている様子も確認できる。

　この事例では，壁式の鉄筋コンクリート造を取り扱っているため，板状のコンクリート構造を板要素に置換することができたが，梁を有する構造体の場合には，梁要素をあわせて用いる必要がある。詳細については文献 17)，18) を参照されたい。この方法を用いて梁付コンクリートスラブの振動を解析した例

4.3 固体音   105

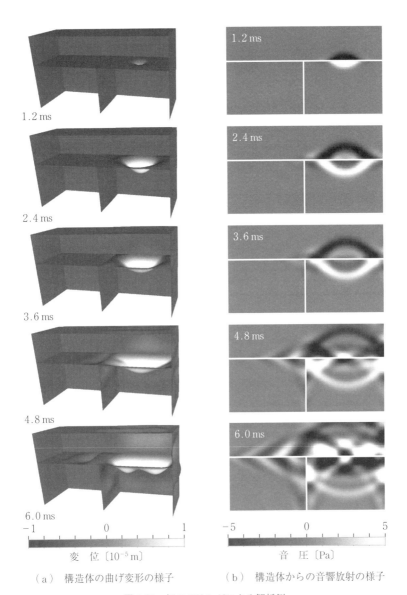

(a) 構造体の曲げ変形の様子　　(b) 構造体からの音響放射の様子

図 4.30　板モデリングによる解析例

106   4. 不快な音のシミュレーション

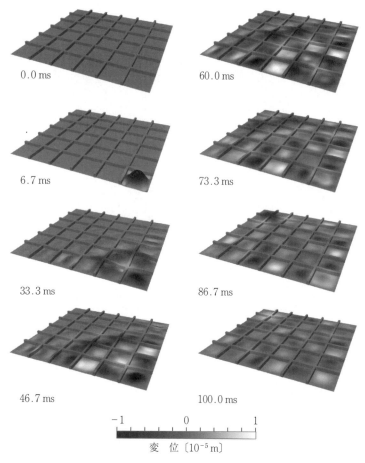

図 4.31 板梁モデリングによる解析事例

を図 4.31（◎ A_4.3-4）に示す．この計算では，幅 27 m，奥行 27 m，厚さ 20 cm のコンクリートスラブに，断面寸法が幅 40 cm，高さ 60 cm の梁が格子状に配置された状況を想定しており，隅部を加振した際の曲げ波の伝搬を表示している．なお，コンクリートスラブの最外周縁は**単純支持**（simple support）としてある．曲げ波は，ある程度円弧状に広がっていく反面，梁による振動抑制効果が生じるため，複雑な振動伝搬性状となっている様子が見てとれる．また，100.0 ms のスナップショットを見ると，梁で区切られたそれぞれの小領

域ごとに，単純な1次振動（first-order vibration）が生じている様子が見られる。これは，梁による振動遮断効果が生じているために，各領域で別個の振動性状を示していると考えられる。

4.3.2 大規模建物の振動解析

前項では，小規模建物の固体音予測を対象として，立体モデリング，および，板梁モデリングをベースとした解析事例を説明した。これら二つの手法は対照的な利点を有しており，それぞれの特長に見合った利用方法が望ましい。前者を用いる場合には，対象とする構造を3次元メッシュで精密にモデリングして解けるため，取り扱える構造物の形状に特段の制約は生じないものの，解析規模によっては必要な計算機資源が膨大となり，解析が困難となる場合もある。一方，後者の場合には，対象とする構造が板状，もしくは，梁状に限定されるものの，必要な計算機資源を削減でき，大規模建物を対象とした解析への応用が期待できる。本項では後者による解析事例を通して，その可能性について考察したい。

解析対象としたモデルを図 4.32 に示す。図（a）に示すように5層の鉄筋コンクリート構造を想定しており，各階スラブの寸法は幅30 m，奥行12 m である（この図においても，内部を表示するため，一部の壁構造を無視して表示している）。また，各階スラブには図（b）に示すように梁が縦横に配置されている。なお，本解析では柱構造についてはモデル化していないので注意された

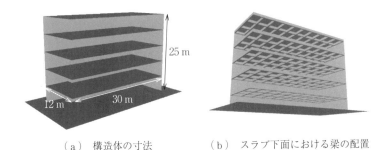

（a）構造体の寸法　　（b）スラブ下面における梁の配置

図 4.32　板梁モデリングによる5層 RC 造のモデル化

い。また，計算機資源の制限により，解析上限周波数は 200 Hz 程度と設定している。

解析結果のうち 16.8 ms までを図 4.33 に，33.6 ms までを図 4.34 に示す（ A_4.3-5）。これらの結果では，4 階の床スラブを加振した場合の振動伝搬性状と音響放射を示しており，各図（b）には梁断面を白色で表示している。なお，図 4.34（b）における 2 階，および，5 階のコンター図のみ，濃淡のスケールを 10 倍に拡大して表示してある。

まず，図 4.33 においては，加振によりスラブが変形し，音響放射が生じている。また，図（b）に示した 8.4 ms のスナップショットには，既述した，空気中の音波と曲げ波の位相速度の違いによって生じる縞模様が見られる。図（a）に示した 12.6 ms のスナップショットでは，スラブが梁によって格子状に区画されていることにより，それぞれの梁に囲まれたスラブ領域が別個に振動している様子がわかる。

図 4.34 では，図（a）に示した 25.2 ms のスナップショットにおいて，振動が 2 階，および，5 階にも伝搬している様子が見られる。また，図（b）の 33.6 ms を見ると，加振されたスラブに直接面している 3 階と 4 階だけでなく，2 階と 5 階においても固体音放射によって特徴的な音場が形成されている様子がわかる。この時刻では，3 階，4 階の音場において，音の波面は室空間の左端には到達していないが，2 階，5 階においては，すでに室隅から音波が放射されている。これは，室内の空気を伝搬する音波を先回りして到達した曲げ波により放射された音波である。

本手法を用いれば，このように階を隔てた室空間への振動伝搬による影響についても，比較的短い計算時間で検討できるため，建築設計段階における利用も期待できる。しかしながら，実空間においては，最終的に天井や床板，壁材などを含めた**内装材**（interior material）が配置され，これらの要素も固体伝搬音に少なからず影響を与えると考えられる。これらの影響要因については今後さらなる検討が望まれる。

4.3 固体音

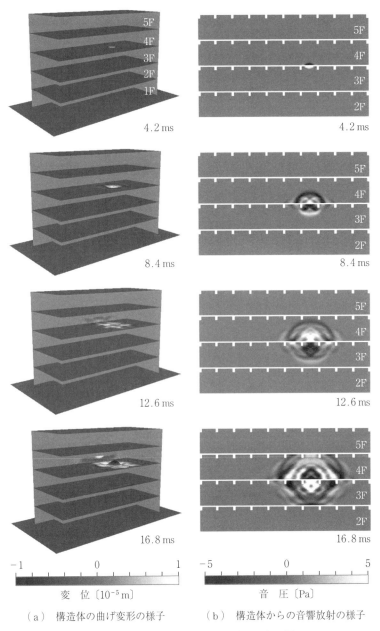

(a) 構造体の曲げ変形の様子　(b) 構造体からの音響放射の様子

図 4.33　16.8 ms までの固体振動と音響放射の様子

110　　4. 不快な音のシミュレーション

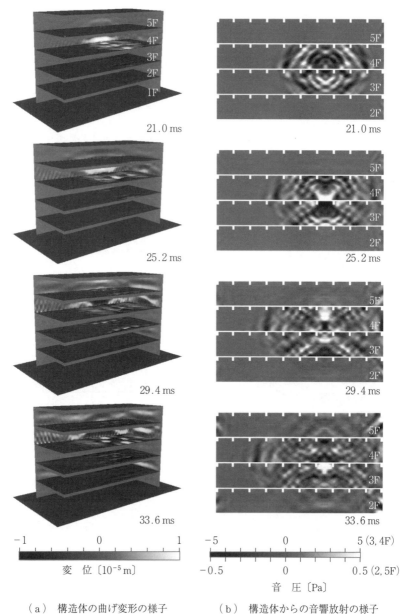

（a）構造体の曲げ変形の様子　　（b）構造体からの音響放射の様子

図 4.34　33.6 ms までの固体振動と音響放射の様子

引用・参考文献

1) S. Sakamoto, T. Seimiya, and H. Tachibana : Visualization of sound reflection and diffraction using finite difference time domain method, Acoust. Sci. Tech., **23**(1), pp.34-39 (2002)
2) D. Duhamel : Efficient calculation of the three-dimensional sound pressure field around a noise barrier, J. Sound Vib., **197**(5), pp.547-571 (1996)
3) S. Sakamoto : Calculation of sound propagation in three-dimensional field with constant cross section by Duhamel's efficient method using transient solutions obtained by finite-difference time-domain method, Acoust. Sci. Tech., **30**(2), pp.72-82 (2009)
4) S. Sakamoto : Development of energy-based calculation method of noise radiation from semi-underground road using a numerical analysis, Acoust. Sci. Tech., **31**(1), pp.75-86 (2010)
5) T. Asakura and S. Sakamoto : Finite-difference time-domain analysis of sound insulation performance of wall systems, Build. Acoust., **16**(3), pp.267-281 (2009)
6) J. Yoshimura, S. Sugie, and E. Toyoda : Effects of size and edge damping on measurement results for sound reduction index of glass pane, Proc. Inter-noise 2006, 641 (2006-12)
7) S. Sakamoto, H. Nagatomo, A. Ushiyama, and H. Tachibana : Calculation of impulse responses and acoustic parameters in a hall by the finite-difference time-domain method, Acoust. Sci. Tech., **29**(4), pp.256-265 (2008)
8) T. Asakura, T. Miyajima, and S. Sakamoto : Prediction method for sound from passing vehicle transmitted through building façade, Appl. Acoust., **74**(5), pp.758-769 (2013)
9) 日本音響学会編：新版 音響用語辞典，コロナ社（2003）
10) 日本建築学会編：建物の遮音設計資料，技報堂出版（1988）
11) 日本建築学会編：建物の床衝撃音防止設計，技報堂出版（2009）
12) M. Toyoda and D. Takahashi : Prediction for architectural structure-borne sound by the finite-difference time-domain method, Acoust. Sci. Tech., **30**(4), pp.265-276 (2009)
13) M. Toyoda, H. Miyazaki, Y. Shiba, A. Tanaka, and D. Takahashi : Finite-difference time-domain method for heterogeneous orthotropic media with damping, Acoust.

Sci. Tech., **33**(2), pp.77-85（2012）

14) M. Toyoda, D. Takahashi, and Y. Kawai：Averaged material parameters and boundary conditions for the vibroacoustic finite-difference time-domain method with a nonuniform mesh, Acoust. Sci. Tech., **33**(4), pp.273-276（2012）

15) T. Asakura, T. Ishizuka, T. Miyajima, M. Toyoda, and S. Sakamoto：Finite-difference time-domain analysis of structure-borne sound using a plate model based on the Kirchhoff-Love plate theory, Acoust. Sci. Tech., **35**(3), pp.127-138（2014）

16) T. Asakura, T. Ishizuka, T. Miyajima, M. Toyoda, and S. Sakamoto：Prediction of low-frequency structure-borne sound in concrete structures using the finite-difference time-domain method, J. Acoust. Soc. Am., **136**(3), pp.1085-1100（2014）

17) T. Asakura, T. Ishizuka, T. Miyajima, M. Toyoda, and S. Sakamoto：Vibration analysis for framed structures using the finite-difference time-domain method based on the Bernoulli-Euler beam theory, Acoust. Sci. Tech., **35**(3), pp.139-149（2014）

18) 朝倉　巧, 石塚　崇, 宮島　徹, 豊田政弘：固体伝搬音を対象としたFDTD解析—梁を伴うスラブ構造の振動解析—, 日本音響学会秋季研究発表会講演論文集, pp.1165-1166（2014-09）

19) 豊田政弘, 高橋大弐：リアリティのある放射音場予測のための時間領域物理モデルの模索, 日本音響学会秋季研究発表会講演論文集, pp.1421-1424（2009-09）

第5章
聞こえない音のシミュレーション

　本章では，聞こえない音である"**超音波**（ultrasonic wave, ultrasound）"の挙動に関して，FDTD法を用いたシミュレーションの例を紹介する。超音波とは，狭義では人が聞くことができない高周波数（20 kHz以上）の音波のことを指すが，広義では人が聞くこと以外の用途で用いられる音波のことを指す。超音波は固体・液体の内部への透過性が高いため，医療診断や**非破壊検査**（non-destructive inspection）などの計測手段として広く用いられている。5.1節では，医用超音波の例として，骨中，および，人体中における超音波伝搬現象の解明を目的として行われたFDTDシミュレーションについて紹介する。また，超音波を用いた非破壊検査の例として，5.2節では，試験体内部の探傷技術に関するFDTDシミュレーション，5.3節では，試験体の表面波速度を観測する**超音波顕微鏡**（ultrasonic microscope）に関するFDTDシミュレーションについて紹介する。

5.1　骨中の超音波伝搬・人体内の波動伝搬

　ヒトの骨，あるいは，ヒトそのもののような複雑な形状をもつ媒質内の超音波伝搬シミュレーションでは，そのモデル化の柔軟さなどの利点のために，FDTD法による解析が多用されている。近年では，骨の微細構造を考慮した有限要素法解析による検討も行われており[1]，両方の解析手法がたがいを補完する関係として利用されていくことであろう。本節では，骨中，および，人体内の超音波伝搬FDTDシミュレーションについて，いくつかの例を紹介する。

5.1.1 実際の骨のモデルを用いたシミュレーション

"骨"は，マクロな視点で見ると**皮質骨**（cortical bone）と**海綿骨**（cancellous bone, spongy bone）からなる（**図 5.1**）。皮質骨は骨の外側の緻密な構造の骨であり，海綿骨は皮質骨内部の**骨梁**（trabecula）と呼ばれる小さな骨が連結したスポンジ状（多孔性）構造の骨である。海綿骨の骨梁構造は完全にランダムなものではなく，体重や歩行時などの動作によって応力が強くかかる方向に強く配向しているという特徴がある。この特徴のおかげで，エッフェル塔のように軽くて強い構造が実現されている。したがって，もしこのエッフェル塔の鉄骨に相当する骨梁が細くなったりもろくなったりすることがあれば，骨の強度の低下に直結する。これが**骨粗鬆症**（osteoporosis）である。骨梁間の空げき部は**骨髄**（bone marrow）で満たされているが，海綿骨はスポンジ状であるために骨髄と触れ合う表面積が大きく，**骨代謝**（骨破壊と骨生成：リモデリング）が活発である。このため，代謝のバランスが崩れて骨破壊が進行すると，この初期症状は海綿骨に現れやすい。したがって，海綿骨部位の定期的なモニタリングは骨粗鬆症の早期発見のために重要である。

現在実用化されている骨粗鬆症診断にはX線法と超音波法がある。超音波法は，被ばくがないために頻繁に測定できる，装置が安価である，などのメリットをもつ。さらに，超音波は弾性波動であり，媒質の弾性的性質を反映して伝搬するため，X線法では測定できない"**骨質**（bone quality）"などの新たな情報が得られる可能性がある[2]。しかしながら，前述の通り，骨は複雑な構造をもつため，得られた超音波波形から骨の状態を読み解くためには工夫が必

図 5.1 骨とエッフェル塔

5.1 骨中の超音波伝搬・人体内の波動伝搬

要である。このため，*in vitro*（生体外）での測定とシミュレーションによる検討などを併用することにより，得られた波形から骨の状態を推測するための知見を蓄積する必要がある。

骨は複雑な構造をもつため，2次元モデルを用いたシミュレーションでは現象を十分精度よく表現できないことがほとんどであり，通常は3次元モデルを用いる。なお，骨は弾性体（固体）であるため，スカラ値の音圧ではなく，3方向の垂直応力とせん断応力を考慮する**弾性FDTD法**（elastic FDTD method）の使用が必要である[3]。

まず2004年に，Bossyら[4]によって3次元**X線CT**（X-ray computer tomography）画像から得た皮質骨モデルを用いた最初のシミュレーション例が報告された。彼らはヒトの橈骨(とうこつ)（radius）のCT画像を撮影し，骨幹（中央）部をモデル化（図5.2（a））して3次元超音波伝搬シミュレーションを行った（●**A_5.1-1**）。そのスナップショットを図（b）に示す。図（b）において，皮質骨の部分に入射して伝搬する波と，内部の骨髄（この論文では水で代替）の部分を遅れて伝搬する波などが確認できる。この報告は，単純化した人工的

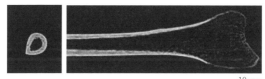

（a） 3次元X線CT画像

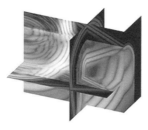

（b） シミュレーション結果

図5.2 CT画像を用いた皮質骨の3次元シミュレーション[4]
（E.Bossy氏提供）

116   5. 聞こえない音のシミュレーション

なモデルに加えて，実際の骨のデータを用いて3次元FDTDシミュレーションを行ったという点において画期的であった．その後，海綿骨について3次元CT画像からモデルを作成してシミュレーションを行った結果も報告されている[5]．

ここで，CT画像からシミュレーションモデルを作成する方法について概略を述べておく．

まず，要求されるシミュレーション精度（現象を大まかに把握したいのか，それとも，定量的な検討を正確に行いたいのかなど）を考慮してCT撮像の解像度を決定する．撮像したCT画像はグレースケール画像であるので，特定の閾値を設けるなどして，固体（骨）の部分と空げき（骨髄）の部分に分離（二値化）する必要がある（図5.3，◎A_5.1-2）．なお，モデル作成時には，解像度は十分か，CT撮像時のノイズやアーチファクト（実際には存在しない信号が見える現象），周辺減光（画像の周辺部が暗く写る現象）の影響が無視できるレベルであるかどうかなどについて，画像自体を目視したり，ヒストグラムで確認したりするなどによって，細心の注意を払う必要がある．

二値化が完了したら，骨の部分と骨髄の部分の媒質定数を設定する．より正確なモデル化のためには，骨内部の物性値の分布や異方性も考慮する必要があるが，この点については本節では扱わない．また，媒質中の吸収減衰の値を設定することも可能である．一般的に吸収減衰値は周波数特性をもつが，この計算を実現する**粘弾性FDTD法**（viscoelastic FDTD method）ではメモリ使用量と計算量が増大するため，簡易的に単一の代表値（例えば，送波波形の中心周波数での減衰値）を用いた摩擦減衰として近似する場合もある（1.2.2項参

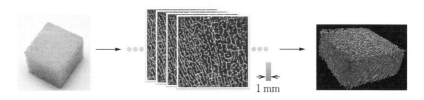

図5.3　CT画像の撮影とモデル化の手順

照)。この方法は，厳密には連続正弦波（あるいは，比較的持続時間の長いナローバンド波形）を送波する場合以外には適用できないが，大まかな傾向を把握する目的においては実用的である[例えば6)]。また，メモリ使用量や演算時間はほとんど増大しないので容易に実現できる。

つぎに，このように作成したモデルを用いたシミュレーション事例（⊚ A_5.1-3）について紹介する[例えば7)]。平面型の振動子から海綿骨モデルに超音波を照射した場合のシミュレーション例を図5.4（⊚ A_5.1-4）に示す。試料はウシの大腿骨から切り出してきた海綿骨であり，解像度46 μmで3次元CT画像を撮像した。送波波形は中心周波数1 MHzのパルス超音波である。左から順に，骨密度が低いモデル（骨粗鬆症の模擬），中程度のモデル，高いモデルにそれぞれ超音波を照射した場合のスクリーンショットと受波波形である。いずれのモデルにおいても骨の固体部分を先行して伝搬する波の存在が確認できるが，その振幅は骨密度が低いほど小さくなっていることがわかる。この波は"**高速波**（fast wave）"と呼ばれている波で，骨密度や骨の弾性定数などを反映しており，骨質の診断のための重要な情報を含むと考えられている[8)]。また，その後方に見られる振幅が大きく比較的波面のそろっている波は"**低速波**（slow wave）"と呼ばれる。

これらの波の特徴がそれぞれ骨の内部の状態を反映していると考えられてい

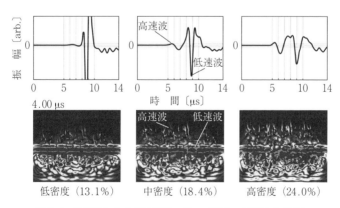

図5.4 骨密度による音波伝搬の違い（図中の下部から送波）

るが，FDTDシミュレーションを用いることで，どの波がどの部分を伝搬してきたものであるかなどを視覚的に把握することが可能となる。そのほかにも，媒質の物理定数や送受波条件の変更[6), 8)]，モデルの一部の切断や，真空，あるいは，剛体への置換などによる音波伝搬の遮断などによって，伝搬の挙動がどう変わるかなどを網羅的に検討することができるため，FDTDシミュレーションは新しい骨粗鬆症診断装置開発のための重要な知見を得るのに強力なツールとなる。

ところで，シミュレーションは万能であるように錯覚することもあるが，実測との突き合わせによる妥当性の確認が必要である。シミュレーションの使い方としては，あらかじめ同等の条件下で実測結果との比較を行ってシミュレーションに期待できる正確さと精度を確認しておき，① 結果が正しければシミュレーション経過もある程度正しいと類推して，伝搬途中の様子の理解の助けとする，もしくは，② 実測との比較を行った条件から拡張したモデルを作成して，シミュレーションでしか実現できない計算を行う，という方針が基本である。実測を行わずにシミュレーションのみを行っても，その結果からは（つぎに行うべき実験の指針を検討することはできるが）なんらかの確定的な情報を得ることは難しい。

図 5.5 に，同一の試料（ウシの大腿骨から幅 20 mm，奥行 20 mm，高さ 9 mm を切り出した海綿骨の CT 画像から作成したモデル）を用いて，ほぼ同等の条件下で実測とシミュレーションを行った例を示す[6)]。いずれも凹面送波器から中心周波数 1 MHz のパルス超音波を水中に沈めた海綿骨試料に向けて送

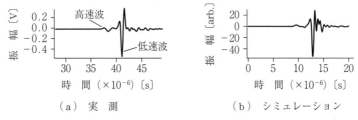

図 5.5　1 MHz のパルス超音波を海綿骨に送波した場合の受波波形例[6)]

波し，試料の反対側に設置した平面受波器で受波した波形である．ただし，シミュレーションでは計算機資源の制約のため，相似形を保ったまま小型の（焦点距離の短い）送波器を用いるとともに受波器も近傍に設置したため，横軸（受波時刻）は異なっている．図より，実測・シミュレーション両方の波形で高速波と低速波の存在が確認できる．また，それぞれの振幅の比も似通っていることや，高速波の周波数低下も確認できる．このように，シミュレーションの信頼性の限界を確認することにより，シミュレーション結果（波形や可視化結果）の適切な解釈がはじめて可能となる．

シミュレーションで得られた波形は，時間領域で振幅や時刻を読みとることが最もシンプルであるが，波形の周波数特性を検討することもできる．FDTD法は音波の伝搬を時間領域で逐次行っていることから，モデルの形状に起因する散乱や**多重経路伝搬**（multipath propagation）の影響も自動的にシミュレーション結果に反映されている．

これまで紹介してきたものは皮質骨のみ，あるいは，海綿骨のみのモデルであるが，より実態に近い皮質骨と海綿骨とが接合したモデルについて計算することも可能である．臨床現場で骨粗鬆症診断を行う場合には，海綿骨のみを透過した波形を得ることはできないため，皮質骨部分を回り込んできた波の影響の評価や，皮質骨と海綿骨の接合部の領域の状態によって波形がどのように変化するのかなどについても検討が必要である．これらについても，実測による測定に加えて，柔軟にモデルが作成・調整できるシミュレーションの利点を生かした検討が有益である[例えば9]．

5.1.2 数値シミュレーションの特色を利用したさまざまな解析

5.1.1項では，実際の皮質骨，および，海綿骨から作成したモデルを用いた超音波伝搬シミュレーションについて説明した．本項では，シミュレーションの特色をさらに活用した解析手法をいくつか紹介する．

海綿骨は異方性，および，不均質性が強いため，これらの影響について詳細に調べる必要があるが，シミュレーションの場合は数値モデル（あるいは，

CT画像）に画像処理を施すことで，骨梁構造を仮想的に変化させたモデルが容易に作成できる．FDTD法のモデルは直方体のボクセル（構造格子）で構成されているため，画像処理が比較的容易である．

代表的な画像処理は，骨梁の**膨張/浸食**（dilatation/erosion）による海綿骨密度の増大/減少である．この画像処理を，Luoら[10]は2次元の海綿骨モデルで，Haïatら[11]は3次元で行い，海綿骨密度の変化に対する超音波伝搬の変化についてシミュレーションを行っている．細川[12]はこの画像処理を発展させて，浸食方向に重み付けをすることにより，密度に加えて骨梁配向の強さを変化させた海綿骨モデル（I_5.1-1）の作成を行っている．

前項で述べたように，骨は絶えず骨破壊と骨生成を繰り返しており，力学的負荷に対して機能的に適応することが知られている．この法則にしたがって海綿骨の骨梁構造は変化するが，リモデリングによる骨梁構造変化のシミュレーションも行われている[例えば13]．リモデリングシミュレーションによって海綿骨モデルを作成すれば，より実際的な骨梁構造変化に対する超音波特性変化（例えば，骨粗鬆症進行にともなう超音波特性変化）のFDTDシミュレーションを行うことが可能となる．体重や日常動作における力学的負荷に対するリモデリングシミュレーションは，これまでは有限要素法による応力解析を利用したものが主流であった[例えば13]が，FDTD法を用いた超音波照射時におけるリモデリングシミュレーションも試みられはじめている[14]．

海綿骨のまわりは皮質骨で囲まれており，骨自体も皮膚，筋肉，脂肪などで覆われている．このような多層構造によって，それぞれの組織間で超音波の反射が生じる．さらに，海綿骨内部においては多孔性の骨梁構造による散乱も生じる．したがって，骨中における超音波伝搬を解析する際は，反射・散乱を考慮する必要がある．また，反射波，および，散乱波にも骨に関する情報が含まれるため，これらの波動を利用した診断も試みられている[15]．しかし，反射波や散乱波はほかの波動と混在した状態で観測されるため，実測での解析は困難である．

この課題に対して，細川[16]は，人工的な吸収境界層（1.2.4項参照）を積極

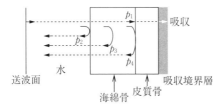

（a） 皮質骨がある場合

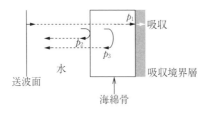

（b） 皮質骨がない場合

図 5.6　皮質骨がある場合とない場合の海綿骨における反射

的に活用したシミュレーションによって，海綿骨内部で発生する反射波，あるいは，散乱波の解析を試みている．**図 5.6** に，その概略図を示す．この手法では，皮質骨がある場合（図（a））とない場合（図（b））の二つのシミュレーションモデルを用意する．図（a）のモデルを用いたシミュレーションでは，海綿骨と皮質骨の間の反射波（p_4）に加えて，水と海綿骨の間の反射波（p_2）と海綿骨内部での反射波（後方散乱波，p_3）が生じる．一方，図（b）のモデルでは，吸収境界層で反射が生じないため，p_2 と p_3 のみが生じる．最終的に，図（a）のモデルを用いたシミュレーション結果と図（b）のモデルを用いたシミュレーション結果との差をとることによって，海綿骨と皮質骨の間の反射波である p_4 のみを抽出することが可能となる．

一例として，中心周波数 1 MHz のパルス超音波を送波した場合のシミュレーション結果（スナップショット）を**図 5.7**（🔘 **A_5.1-5, I_5.1-2**）に示す．図 5.7（a-1），（a-2）は図 5.6（a）のモデル（皮質骨があるモデル）を用いた場合，図 5.7（b-1），（b-2）は図 5.6（b）のモデル（皮質骨がないモデル）を用いた場合のスナップショットである．図 5.7（c-1），（c-2）はそれぞれ，

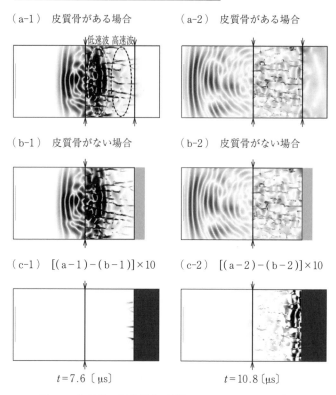

図 5.7 海綿骨・皮質骨間の反射のシミュレーション結果

図 5.7 (a-1) と (b-1) の差分と図 5.7 (a-2) と (b-2) の差分である（振幅は 10 倍に拡大）。図 5.7 (a-1), (a-2) において, 海綿骨中を伝搬する高速波と低速波の二波が観測できる。図 5.7 (a-1), (b-1), (c-1) は高速波が皮質骨に到達した直後, 図 5.7 (a-2), (b-2), (c-2) は低速波が皮質骨に到達した直後のスナップショットである。すなわち, 前者は高速波の反射の様子を, 後者は低速波の反射の様子を表している。図 5.7 において図 (a) と図 (b) の違いはほとんどないように見えるが, 実際には図 (c) に示されるように, 反射波が明確に存在している。このような差分波形を詳細に検討することにより, 高速波, および, 低速波の反射時に, それぞれの一部が低速波, および, 高速波へ変換されていることなど, 興味深い現象が明らかになっ

てきた．

　同様に，散乱波の解析のためには，厚さが異なる海綿骨モデルに吸収境界層を設けることで，厚さが異なる部分で生じる散乱波のみを抽出することができる[17]．以上のような反射波・散乱波の解析は，数値シミュレーションの完全な再現性とノイズレスの特長ゆえに可能な手法といえる．

　FDTD 法を用いた骨中の超音波伝搬に関するシミュレーションとして，前述したようなリモデリングシミュレーションも行われている．また，骨生成においては骨が有する圧電現象が関連していると考えられており，超音波照射時における骨の圧電効果のシミュレーションも試みられている[18]．これは，弾性 FDTD 法に圧電方程式を組み込むことによって行うことができる．ヒトの大腿骨に周波数 1 MHz のバースト正弦波 10 波を照射した場合のシミュレーション結果を付録 DVD に収録しているのでご覧いただきたい（◎ **A_5.1-6**, **A_5.1-7**, **I_5.1-3**）．

5.1.3　人体モデルのシミュレーション

　ここまで，骨中の超音波伝搬シミュレーションを紹介してきたが，FDTD シミュレーションの対象は骨だけでなく，人体全体を含むようなモデルにも適用することができる．本節の最後に，3 次元人体モデルについて紹介する．

　長谷らは，Nagaoka ら[19]が電磁波の解析用に作成して公開している数値人体モデルをベースにして 3 次元弾性モデルを作成した[20]．もとのモデルは幅 2 mm，奥行 2 mm，高さ 2 mm 刻みのボクセルデータであり，各ボクセルがどの生体組織に対応するかというデータが格納されている．このモデルをベースにして，各ボクセルに媒質定数を与えることにより，音波伝搬シミュレーションのための 3 次元モデルを実現した．ただし，各生体組織の詳細な物理定数を得ることは困難であったため，骨，骨髄，脂肪，軟組織（脂肪を除く），および，肺の内部と体外に存在する空気の計 5 種のみの物理定数を試験的に割り当てた（◎ **A_5.1-8**）．作成したモデル（男性）の音響インピーダンスの透視図を図 5.8（◎ **I_5.1-4**, **I_5.1-5**）に示す．

124　5. 聞こえない音のシミュレーション

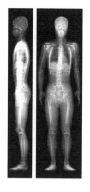

図 5.8　3次元人体音響モデルの音響インピーダンス透視図[20]

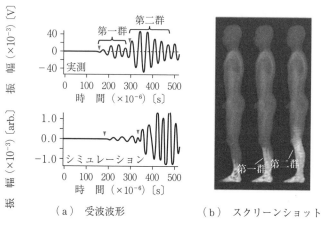

　（a）受波波形　　　　　（b）スクリーンショット

図 5.9　人体モデルの踵からパルス波を印加した場合の例[21]

中心周波数 20 kHz のパルス波を踵（かかと）の下部から照射した場合の例を示す（図5.9，A_5.1-9～A_5.1-12，および，口絵4）。パルス波を踵から照射したのは，歩行などの動作時の衝撃を模擬することを意図しているためである。図（b）のスクリーンショットより，脛骨（けいこつ）（tibia）や大腿骨を先行して伝搬する波の存在が確認できる。図（a）に，膝の表面で受波されたシミュレーション波形と，同等の条件（踵の下から 20 kHz のパルス波を照射）のもとで実測を行った場合の受波波形例を示す[21]。いずれの波形でも，早い時刻に観測される群と遅れて到達する群が観測される。早い方の群の音速は 2 000～3 000 m/s 程度であったが，これは軟組織の音速を超えているため，この波は脛骨あるい

は**腓骨**(fibula)を伝搬してきた波であると推察される。例えば，この波を継続して観測することができれば，歩行時に各骨にどのくらいの音波振動（応力）が印加されたかを推測することができるため，リハビリや運動の評価に有用である可能性がある。現在，歩行動作時の体勢での音波伝搬シミュレーション（◉ A_5.1-11, A_5.1-12, および，口絵4）なども含め，体表面での実測値との比較を行いながら検討を進めているところである。

5.2 探　　　　傷

超音波探傷(ultrasonic testing)とは，物体内に超音波ビームを伝搬させ，きずによる散乱波を受信することにより，物体の性状を判断する非破壊検査技術である。ポータブルな**超音波探傷器**(ultrasonic test instrument)で**溶接部**(weld zone)を探傷したり，また，鉄鋼メーカでは大型のオンライン**超音波自動探傷システム**(ultrasonic automated test system)で製造時における鉄鋼材料の検査が行われている。構造物や工業製品の健全性を診断する技術であり，安全・安心な社会の実現に必要不可欠なものである。

5.2.1　シミュレーションの必要性

超音波探傷器がデジタル化され[22]，また，さまざまな用途に応じた**超音波探触子**(ultrasonic transducer)が開発されるなど[23]，探傷システムの性能は向上してきた。さらなる性能向上のためには，これらハードウェアの使用方法，すなわち，探傷方法自体を検討する必要がある。探傷器と探触子との組み合わせだけでも，一探触子法や二探触子法，反射法や透過法，といった選択肢があり，超音波ビームの伝搬方法でも**垂直探傷法**(normal beam technique)や**斜角探傷法**(angle beam technique)という選択肢がある。また，きず検出に適した探傷方法が従来方法にない場合，新たな探傷方法を開発する必要がある。

探傷方法の検討だけではなく，探傷パラメータの選定も重要な検討課題である。探傷周波数を何MHzにするか，振動子寸法を何mmにするか，斜角探傷

の場合は**屈折角**（angle of refraction）を何度にするかといった検討を行い，きず検出に適した探傷システムを設計しなければならない。

探傷方法の検討，および，探傷パラメータの選定を行う手法として，実験データにもとづいて決める手法がある。しかし，数種類の探触子，および，試験体を試作し，膨大な数のデータをとる必要があるので時間がかかる。これらの試作費用もかかるので，全体的にコストがかさむという問題がある。

これに対してシミュレーションで検討を行えば，実験コストを削減することができる。また，最近の計算機は処理速度が速いため，時間の節約もできる。さらに波動方程式にもとづいた音場シミュレーションを用いて試験体内を伝搬する超音波を可視化することにより，エコーの受信メカニズムが明らかになり，試験体に適した探傷方法の検討に大きく役立つばかりでなく，新たな探傷方法の開発も期待できる。したがって，シミュレーション技術を用いることにより探傷システムの性能を効率的に向上させることができる。

5.2.2 シミュレーションモデル

超音波探傷システムの開発に有効なシミュレーションモデルとして，差分法[例えば24]，有限要素法[例えば25]，境界要素法[例えば26]，FDTD法[例えば27]，動弾性有限積分法[例えば28]，また，いくつかのハイブリッドモデル[例えば29]がすでに報告されている。その中でもFDTD法は，定式化やプログラミングが容易といった利点をもつ。また，超音波探傷の場合，2次元モデルでも受信されるエコーは実験結果とほぼ一致している場合が多く，超音波伝搬の定性的な理解も2次元モデルで十分な場合が多い。

以下では，まず2次元弾性波FDTD法を斜角探傷に適用した例を示し，その後に計算時間を大幅に短縮できるハイブリッドモデルを紹介する。なお，計算方法の詳細は省略するので，興味のある方は参考文献を参照していただきたい。

5.2.3 斜　角　探　傷

斜角探傷法は試験体の表面（探傷面）に対して斜めに超音波を送受信する探

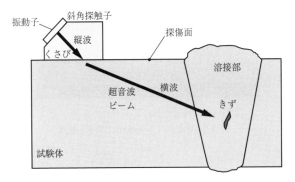

図 5.10 超音波斜角探傷の概要

傷法であり，超音波を垂直に送受信できないような場合に用いられる。図 5.10 に，溶接部を斜角探傷する様子を示す。斜角探触子は，**くさび**（wedge）に振動子を装着して構成される[30]。振動子からくさび内に送信された縦波はくさび内を伝搬し，くさびと試験体の探傷面との境界面においてスネルの法則にしたがって屈折する。これにより，探傷面に対して斜めに超音波を送信できる。通常，くさび内の入射角を試験体内の縦波に対する**臨界角**（critical angle）以上とし，試験体内へは横波（**SV波**，shear vertical wave）のみが伝搬するように設計されたものが用いられる[30]。

5.2.4 斜角探傷のシミュレーション例

実際の試験体やきずは複雑な形状である場合が多く，これらを数式化して計算機に入力する作業は非常に煩雑である。この煩雑な作業を簡易化するため図形入力方式[31], [32]を採用し，斜角探傷のシミュレーションを行った例を示す。複雑形状きずとして，溶接部の**溶け込み不良**（lack of penetration）を例として用いた。**図 5.11** に，溶接部の断面写真を示す[33]。この断面写真を二値化し，探触子形状とともに計算機入力用としてモデル化したものを**図 5.12** に示す。図に示すように，試験体の厚さは 17 mm とし，振動子寸法は幅 10 mm で屈折角 70°の斜角探触子を用いた。探傷周波数は 5 MHz とした。シミュレーションに用いた材料定数を**表 5.1** に示す。試験体の母材と溶接部は同じ材質とし，溶

図5.11 溶接部の溶け込み不良の断面写真
（一般社団法人日本非破壊検査協会提供）

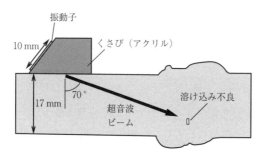

図5.12 複雑形状きず，および，探触子のモデル化

表5.1 シミュレーションに用いた材料定数

	縦波音速〔m/s〕	横波音速〔m/s〕	密　度〔kg/m³〕
くさび	2 730	1 430	1 180
試験体	5 930	3 240	7 700

け込み不良の部分は空気があるものとした。

　音場シミュレーション結果を**図5.13**（ A_5.2-1）に示す。図では探触子を励振してから17 μsまでの音場を示しており，粒子速度の絶対値を濃淡で示している。図に示すように，振動子からは縦波がパルスとしてくさび内に励振され，くさびと試験体との境界面で屈折して伝搬していく様子がわかる。試験体中を伝搬する波は，**モード変換**（mode conversion）により生じた横波である。また，溶け込み不良で散乱され，複雑な音場となっている様子もわかる。

　なお，斜角探傷シミュレーションにおける音源の扱い方や受信信号の計算法の詳細については，文献34)を参照していただきたい。

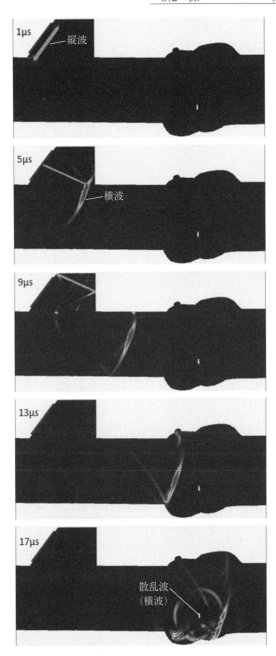

図 5.13 溶接部の音場シミュレーション結果

5.2.5 ハイブリッドモデル

　実際の超音波探傷では，探触子からきずまでの距離が数百波長におよぶ場合がある。このような場合，超音波の伝搬をすべて FDTD 法で計算すると，計算機の処理能力が向上してきたとはいえ，膨大な計算時間を要する。また，波長に比べて格子間隔が十分小さくできない場合，超音波を長距離伝搬させるシミュレーションを行うと数値分散[35]が顕著になり，波形がひずむという問題もある。

　このような背景のもと，FDTD 法で計算する領域をきず近傍に限定することで，計算時間の短縮，および，数値分散を低減させるハイブリッド FDTD 法[36]を開発した。このモデルは，探触子による音場を**レイリー積分**（Reyleigh integral）で求め，きず周辺の散乱音場を FDTD 法で求める計算手法である。図 5.14 に 2 次元ハイブリッド FDTD 法の概要を示す。図は，垂直探傷における音場をレイリー積分で求める様子を示している。探触子を励振してから T_0 秒後の図中の観測点 R における音場の粒子速度ベクトル $\boldsymbol{v}_T$ は，次式で与えられる。

$$\boldsymbol{v}_T(T_0) = \begin{bmatrix} v_x(T_0) \\ v_z(T_0) \end{bmatrix} = \begin{bmatrix} \sin\theta \\ \cos\theta \end{bmatrix} \int_l \frac{s(T_0 - \tau)}{\sqrt{r}} dl \tag{5.1}$$

ここで，θ は図に示す角度，r は音源 Q から観測点 R までの距離，τ は Q から R までの伝搬遅延時間である。s は探触子の応答特性であり，l は探触子の寸

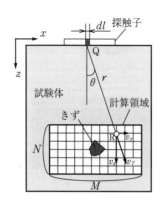

図 5.14　2 次元ハイブリッド FDTD 法の概要

法である。

式 (5.1) で求めた T_0 秒後の送信音場にもとづいて，FDTD 法により計算領域内の散乱音場を求める。探触子で受信するエコー e は，次式から得られる。

$$e(2T_0 + t_s) = \sum_{m=1}^{M} \sum_{n=1}^{N} \boldsymbol{v}_T(T_0) \cdot \boldsymbol{v}_R(T_0 + t_s) \tag{5.2}$$

ここで，t_s は FDTD 法における計算経過時間，M，および，N は，それぞれ，x 方向，および，z 方向のグリッド数である。$\boldsymbol{v}_R$ は FDTD 法で求めた散乱音場の粒子速度ベクトルである。式 (5.2) に示すように，計算領域内のグリッドにおいて送信音場，および，散乱音場の粒子速度ベクトルの内積を計算し，これらを加算することでエコーを求める。

5.2.6　ハイブリッド FDTD 法のシミュレーション例

鉄鋼メーカにおける超音波自動探傷システムでは，探触子と試験体との間に**接触媒質**（couplant）として水を用いている。水の音速が遅いため波長が短くなり，探触子から試験体まで百波長を超える場合がある。ここでは超音波自動探傷システムの一例として，丸棒鋼をアレイ探触子で斜角探傷した場合の音場，および，エコーをハイブリッド FDTD 法でシミュレーションした結果[37]を示す。

図 5.15 に，探触子と試験体との相対的な位置関係を示す。探触子は 15 素子のアレイとした。配列ピッチは 0.6 mm，ギャップは 0.1 mm とした。各素子に遅延時間を与えて丸棒鋼への入射角度が 18.9°（横波屈折角は 45°）となるようにした。曲率半径は 35 mm，探傷周波数は 6 MHz とした。図に示すように探触子から丸棒鋼までの距離は約 25 mm であり，水中波長の約 100 倍である。

丸棒直径は 20 mm とし，表層部に設けた直径 1 mm の**横穴**（side drilled hole）を対象としてシミュレーションを行った。丸棒鋼の材料定数は，表 5.1 の試験体と同じとした。水中の音速は 1 480 m/s，密度は 1 000 kg/m³ とした。なお，図 5.14 では試験体内の一部を計算領域としたが，今回は水中音場も求めたいので，丸棒鋼全体と周囲の水を含めて計算領域とした。式 (5.1) に示し

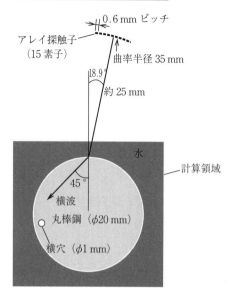

図 5.15 アレイ探触子と丸棒鋼との相対的な位置関係

た T_0 は 16.5 μs とし，丸棒鋼に入射する直前の水中音場の粒子速度を v_T とした。

音場シミュレーション結果を**図 5.16** に示す。図は探触子を励振してから 17〜25 μs の音場であり，粒子速度の絶対値を濃淡で示している。アレイの素子ピッチが水中波長より長いため，図に示すように**グレーティングローブ**（grating lobe）が発生しているが，横穴からのエコーに対しては影響をおよぼさない。また，丸棒鋼内に横波が伝搬し，横穴で散乱されている様子がわかる（⊙ A_5.2-2）。

図 5.17 には，音場シミュレーションから推定したエコーの伝搬経路を示している。図に示すように，直射，コーナー，1 回反射，および，横穴周回という経路がある。図 5.16 にも，これらの経路で伝搬した横波を示している。なお，実際には縦波も伝搬しているが，横波に比べて振幅は小さい。

探触子と丸棒鋼との相対的位置関係や，アレイ素子に与える遅延時間をシミュレーションと同じとして実験を行った。実験で得られた受信信号を，シミュレーション結果とあわせて**図 5.18** に示す。図に示すように，各伝搬経路

5.2 探傷

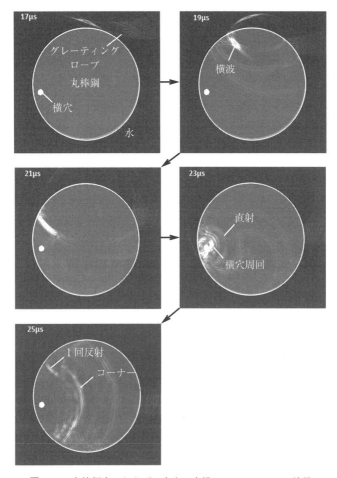

図 5.16 丸棒鋼内，および，水中の音場シミュレーション結果

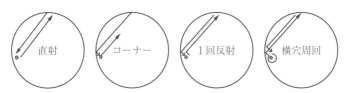

図 5.17 音場シミュレーション結果から推定したエコーの伝搬経路

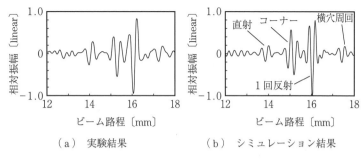

図 5.18　受信信号の比較

をたどったエコーはほぼ一致している。図に示したレベルで実験結果と一致していれば，探傷方法の検討や探傷パラメータの選定の手段として，シミュレーションは有効である。

　以上，ここでは丸棒鋼を対象としたハイブリッド FDTD 法のシミュレーションについて示した。このほか，ハイブリッド FDTD 法を斜角探傷に適用した例も報告されている[38], [39]。また，数値分散について通常の FDTD 法と比較した結果についても報告があるので[40]，興味がある方は参照していただきたい。

5.3　超音波顕微鏡

　顕微鏡（microscope）とは微細な構造をなんらかの手段で"可視化"するものであり，代表的なものとして複数枚のレンズで構成された光学顕微鏡がよく知られている。ほかには，電流を用いた **SEM**（scanning electric microscope），X 線を用いた **STM**（scanning tunneling microscope）などが知られている。本節では本書の主旨にのっとり，超音波を利用した超音波顕微鏡の FDTD 解析について述べる。超音波顕微鏡は利用する超音波の種類（縦波，横波，表面波など）やその測定原理により各種のものが存在するが，本節では特に，**漏洩弾性表面波**（leaky surface acoustic wave：**LSAW**）を利用した可変線集束超音波顕微鏡について説明する。

　線集束超音波顕微鏡（直線集束ビーム超音波顕微鏡，line-focus-beam（LFB）

acoustic microscope) は櫛引らにより提案されたものである[41), 42)]。これは，物質の表面に励起された漏洩弾性表面波からの放射波と，縦波の反射波の干渉パタンから物質表面の弾性表面波速度を測定するものであり，材料表面の高精度な非破壊検査などに活用されている。この線集束超音波顕微鏡は，佐藤[43)]によりFDTD法による解析がなされており，計算方法についても同文献に詳述されている。そこで，本節ではこの線集束超音波顕微鏡の原理を応用した，可変線集束超音波顕微鏡[44)~46)]による漏洩弾性表面波速度測定法のFDTD法による解析について説明する。

5.3.1 可変線集束超音波顕微鏡

本項では，可変線集束超音波顕微鏡，および，そのもととなった線集束超音波顕微鏡の測定原理について簡単に述べる。図5.19に，線集束超音波顕微鏡，および，可変線集束超音波顕微鏡の断面図を示す（紙面に垂直な方向に一様な2次元構造を仮定している）。

まず，線集束超音波顕微鏡について説明する。平面形状のトランスデューサから平面波が放射される。トランスデューサは固体で構成された音響レンズにカップリングされており，音響レンズの終端は凹レンズ形状になっている。この構造により，音響レンズの下部から**集束**（focusing）する超音波ビームが放射され，凹レンズ固有の焦点距離において線状に集束する。集束させた状態か

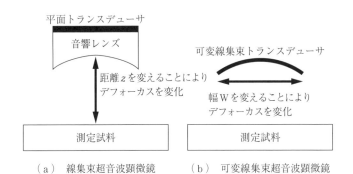

（a）線集束超音波顕微鏡　　（b）可変線集束超音波顕微鏡

図5.19　断面図と測定原理

ら,試料と凹レンズの距離を近づけると,試料表面で集束していた超音波ビームが広がりをもつ(デフォーカス)。このとき,試料の表面波音速とカップリングに使用している材質の音速との関係から,特定の入射角度において試料表面に漏洩弾性表面波が励振される。漏洩弾性表面波が試料表面を伝搬する際,特定の角度方向に平面波が放射される。この平面波,および,試料表面で反射した反射波がともに音響レンズに入射するため,トランスデューサでの受信波形は,二つの波の振幅が合成されたものとなる。ここで,試料と音響レンズの距離 z を変化させることにより,二つの波の位相変化量が変化するため,距離 z に応じてトランスデューサでの受信振幅が変化する。この波形変化を解析することにより,漏洩弾性表面波速度を算出することができる。漏洩弾性表面波速度は試料表面の状態を反映しているため,この処理を試料表面全体について行うことにより,材料表面の状態を観測することが可能である。これが線集束超音波顕微鏡の原理である。

線集束超音波顕微鏡は固体の音響レンズを用いていることに特徴があるが,音響レンズを用いずに可変線集束が可能なトランスデューサ[47]を送受信に用いることにより,同様な測定が可能である。図5.19の右側に可変線集束超音波顕微鏡の原理図を示す。トランスデューサは柔軟な薄いフィルム状の材質で構成されており,左右の端を押すことにより,屈曲させることが可能である(図5.19には屈曲された状態を示している。なお,理想的には薄い板ではこのような屈曲はサインカーブとなることが理論的に示されているが,実際にはトランスデューサの構造の不均一性から微妙に異なる形状となる)。この屈曲されたトランスデューサから放射される超音波は,固体レンズを用いたときと同様に,試料表面の一点で集束させることが可能である。ここで,可変線集束トランスデューサは,トランスデューサの幅方向の変化により,焦点距離を変えることが可能である。これにより,試料との距離 z を変えるのではなく,トランスデューサの幅 W の変化により,前述した漏洩弾性表面波速度の測定と類似した測定が可能となる(ただし,厳密には一点で集束するのではなく,焦点はある広がりをもつため,実際の漏洩弾性表面波速度の解析には,これらの点

を考慮に入れることが必要となる)。

5.3.2　シミュレーションモデル

　線集束超音波顕微鏡の測定については，音線理論や波動理論にもとづいた解析が有効であり，その干渉特性を正確に計算することが可能である。しかし，有限時間内における波動伝搬の可視化をする場合，これらの理論よりも FDTD 解析によるシミュレーション計算が便利である。文献43)において弾性体における FDTD 法の定式化，および，線集束超音波顕微鏡での計算例が詳細に説明されているので，本項では，可変線集束超音波顕微鏡を FDTD 法で解析するためのモデル化方法と計算例について述べる。

　図 5.20 に可変線集束超音波顕微鏡による弾性表面波測定の構成図を示す。実際の構造は 3 次元構造であり，紙面に垂直な方向にも有限の長さをもつが，

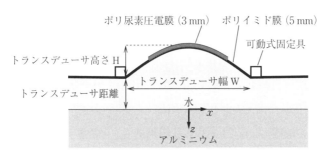

（a）　概念図

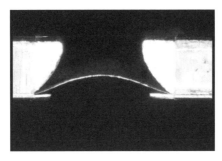

（b）　実物の拡大写真

図 5.20　可変線集束超音波顕微鏡の構造

通常，測定に使う超音波の波長に比べて非常に長いため，シミュレーションでは無限と見なして計算を行う。上部の湾曲した部分が柔軟な素材（例えば，ポリ尿素）で構成された可変線集束トランスデューサである。湾曲部の長さは5 mmであるが，この中央付近の3 mm程度の部分が境界面に対して垂直方向へ音波を放射する振動部分となっている。両端は，可動の固定具で左右からはさんである。このトランスデューサはなにも力を加えなければ平面に近い形状であるが，左右から固定具で力を加えることにより中央部分が盛り上がるアーチ形状となっている。

この，固定具間の距離Wを変化させることにより，トランスデューサのアーチ形状が変化し，焦点距離を変えることが可能となる。このため，トランスデューサと試料の距離は0.8 mmで固定となっている。図の下部は測定試料であり，金属（計算例ではアルミニウム）やガラスなどの表面がフラットな弾性体を想定している。トランスデューサと試料の間はカップリング材料として流体（本計算例では水）を満たしており，トランスデューサと試料の間の音波伝搬がスムーズになるような構成となっている。

図 5.21 に，可変線集束超音波顕微鏡の FDTD 解析モデルの概要を示す。線集束であるから，2 次元の弾性 FDTD 法によりシミュレーション計算を行う。図の上部にはサインカーブ形状の可変線集束トランスデューサがモデル化して

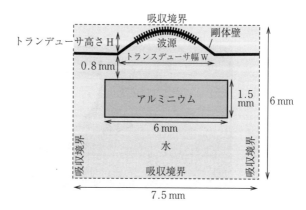

図 5.21　FDTD 法による可変線集束超音波顕微鏡のシミュレーションモデル

ある。実際のトランスデューサは，薄いアルミニウム電極で圧電体（ポリ尿素）をサンドイッチした構造であり，交流電圧を印加すると，トランスデューサ表面の法線方向に振動が発生する。本項の計算では，トランスデューサの構造そのもののFDTD解析用のモデル化は行わず，トランスデューサ表面に沿って音圧源を配置して音波の波源としている。また，試料表面からの反射波を受信する際には，同じ位置における受信音圧を取得して積分し，受信電圧としている。図の中心付近には，試料となる長方形の断面をもつ弾性体を配置している。本項の計算では，試料については弾性体とし，縦波，横波の両方の伝搬を考慮する弾性体のFDTD法でシミュレーション計算を行っている。また，試料の周囲の領域はすべて水を配置しており，この領域では縦波伝搬のみを考慮したFDTD解析を行っている（実際の超音波顕微鏡において，試料とトランスデューサを水でカップリングすることに相当する）。計算領域の周辺には，無反射境界として，弾性体に対する2次の吸収境界[48]を配置してシミュレーション計算の終端としている。

FDTD解析によるシミュレーションにおいて，励振は38.1 MHzの正弦波としている。これは，想定したポリ尿素超音波トランスデューサの共振周波数に相当する。水中（縦波音速1500 m/s，密度1000 kg/m^3）内での波長を考慮して，FDTD法の空間離散化幅は1.5 μmとし，これから安定条件を考慮して時間離散化幅を116.8 μmと設定した。また，弾性体の試料としてはアルミニウムを想定し，この材料内の音速は，縦波音速6420 m/s，横波音速3040 m/s，密度2700 kg/m^{3}を設定した。FDTD解析においては漏洩弾性表面波についてのパラメータはまったく考慮していないが，シミュレーションによって前項の超音波顕微鏡の原理で述べた通りの現象（弾性体表面に沿って漏洩弾性表面波が伝搬し，伝搬に沿って流体内へ平面波が放射される）が観測できるのはこの手法の面白いところである（音線理論や，波動理論で計算する場合は，漏洩弾性表面波の速度や損失自体をパラメータとして想定し，計算を行う必要がある）。ここで紹介した解析は，基本的な物理現象のシミュレーションのみから出発して，工学的に有用な現象を模擬できるわかりやすい例の一つであろう。

5.3.3 計算結果

図5.22に，FDTD法によるシミュレーションの途中経過を示す。図は14 000時間ステップ経過時の計算領域内の音圧，もしくは，垂直応力を示したものである。図より，上部のトランスデューサから放射される超音波が，水中を伝わり，試料表面で反射してトランスデューサとの中間地点あたりまで反射波が戻ってきている様子がわかる。また，本書の付録DVD（ A_5.3-1）を見ていただくと，試料の表面で弾性表面波が伝搬している様子や，反射波に重なって平面波が放射されている様子も観測することができる。さらに，動画では，超音波顕微鏡の測定とは直接関係ないが，水中からアルミニウム試料内部に進入した入射波が，速い速度の縦波と約半分の速度の横波として伝搬していく様子，試料と水との四つの境界面で反射し，試料内部で複雑な波の重ね合わせが起きている様子や，試料の表面から水の方へ漏れ出していく超音波の様子も観測できる。

図5.23に，本節で述べたシミュレーションにより条件を変えて計算を行った結果をまとめた可変線集束超音波顕微鏡による測定結果を示す。このグラフは，トランスデューサの幅Wを4.25〜4.6 mmの間で変化させ，それぞれの条件でFDTD法によるシミュレーションを行い，トランスデューサでの受信音圧を規格化してプロットしたものである。横軸はトランスデューサの幅

図5.22 FDTD法による可変線集束超音波顕微鏡のシミュレーション経過（14 000時間ステップ経過時）

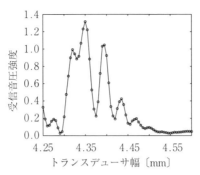

図 5.23 FDTD シミュレーション結果による可変線集束超音波顕微鏡のトランスデューサ幅 W に対する受信音圧変化(それぞれの W ごとに FDTD 法のシミュレーション計算を行い,70 点をプロット)

W,縦軸は規格化されたトランスデューサでの受信音圧である。実際のトランスデューサでは,トランスデューサ表面での音圧が圧電材料により電圧に変換され,オシロスコープなどの測定器において波形が記録されることになる。図より,W=4.3〜4.5〔mm〕の範囲内で受信波形の大きな変化が見られ,5 山ほどの振幅のピークが観測できる。また,これ以外の領域でもほぼ一定の周期の小さな変化が観測できる。このほぼ一定周期の変化は,試料表面からの反射波と,漏洩弾性表面波により放射された平面波の両者がトランスデューサに受信され,トランスデューサの幅 W の変化に応じて干渉の様相が変化した結果として観測されている。

図 5.24 に,本 FDTD シミュレーションと同様の計算を波動理論にもとづいて行った結果を示す。前述したように,波動理論による計算では漏洩弾性表面波が存在すると仮定して,その速度(ここでは 2840 m/s)にもとづき干渉の計算を行う。図 5.24(a)は,漏洩弾性表面波が存在しないと仮定した場合の受信波形のトランスデューサ幅による変化,図(b)は漏洩弾性表面波が存在する場合の受信波形の変化である。これらの図より,漏洩弾性表面波が存在しない場合は,受信波形のピーク以降には小さな周期的変化が観測されないが,漏洩弾性表面波が存在する場合には,図 5.23 の FDTD 解析と同様の小さなリ

5. 聞こえない音のシミュレーション

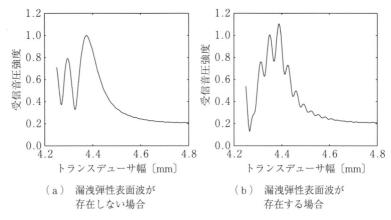

(a) 漏洩弾性表面波が存在しない場合　　(b) 漏洩弾性表面波が存在する場合

図5.24　波動理論による可変線集束超音波顕微鏡の計算結果例

プルが観測される。

これらの結果より，FDTDシミュレーションにより可変線集束超音波顕微鏡における漏洩弾性表面波の発生が模擬できていること，および，トランスデューサの幅Wを変化させた場合の，干渉波形の変化による測定のシミュレーションに成功していることが確認できたと考えられる。

引用・参考文献

1) B. Vafaeian, M. El-Rich, T. El-Bialy, and S. Adeeb：The finite element method for micro-scale modeling of ultrasound propagation in cancellous bone, Ultrasonics, **54**, pp.1663-1676（2014）
2) NIH Consensus Development Panel on Osteoporosis Prevention, J. Am. Med. Assoc., 285, pp.785-795（2001）
3) J. Virieux：P-SV wave propagation in heterogeneous media：Velocity-stress finite-difference method, Geophysics, **51**, pp.889-901（1986）
4) E. Bossy, M. Talmant, and P. Laugier：Three-dimensional simulations of ultrasonic axial transmission velocity measurement on cortical bone models, J. Acoust. Soc. Am., **115**, pp.2314-2324（2004）
5) E. Bossy, F. Padilla, F. Peyrin, and P. Laugier：Three-dimensional simulation of ultrasound propagation through trabecular bone structures measured by

synchrotron microtomography, Phys. Med. Biol., **50**, pp.5545-5556（2005）

6) Y. Nagatani, K. Mizuno, T. Saeki, M. Matsukawa, T. Sakaguchi, and H. Hosoi : Propagation of fast and slow waves in cancellous bone : Comparative study of simulation and experiment, Acoust. Sci. Tech., **30**, pp.257-264（2009）

7) Y. Nagatani, K. Mizuno, T. Saeki, M. Matsukawa, T. Sakaguchi, and H. Hosoi : Numerical and experimental study on the wave attenuation in bone - FDTD simulation of ultrasound propagation in cancellous bone, Ultrasonics, **48**, pp.607-612（2008）

8) A. Hosokawa and T. Otani : Ultrasonic wave propagation in bovine cancellous bone, J. Acoust. Soc. Am., **101**, pp.558-562（1997）

9) Y. Nagatani, K. Mizuno, and M. Matsukawa : Two-wave behavior under various conditions of transition area from cancellous bone to cortical bone, Ultrasonics, **54**, pp.1245-1250（2014）

10) G. Luo, J.J. Kaufman, A. Chiabrera, B. Bianco, J. H. Kinney, D. Haupt, J. T. Ryaby, and R. S. Siffert : Computational method for ultrasonic bone assessment, Ultrasound Med. Biol., **25**, pp.823-830（1999）

11) G. Haïat, F. Padilla, R. Barkmann, C.-C. Gluer, and P. Laugier, Numerical simulation of the dependence of quantitative ultrasonic parameters on trabecular bone microarchitecture and elastic constants, Ultrasonics, **44**, pp.e289-e294（2006）

12) A. Hosokawa : Numerical analysis of variability in ultrasound propagation properties induced by trabecular microstructure in cancellous bone, IEEE Trans. Ultrason. Ferroelectr. Freq. Control, **56**, pp.738-747（2009）

13) T. Adachi, K. Tsubota, Y. Tomita, and S.J. Hollister : Trabecular surface remodeling simulation for cancellous bone using microstructural voxel finite element models, J. Biomech. Eng., **123**, pp.403-409（2001）

14) A. Hosokawa : Numerical simulations of change in trabecular structure due to bone remodeling under ultrasound propagation, J. Mech. Med. Biol., **13**, 1350003（14 pages）（2013）

15) J.P. Karjalainen, O. Riekkinen, J. Töyrös, and J.S. Jurvelin : Linear Acoustics of trabecular bone, Bone Quantitative Ultrasound, Eds. G. Haïat and P. Laugier, Dordrecht Heidelberg London New York, Springer, pp.265-289（2011）

16) A. Hosokawa : Numerical investigation of reflection properties of fast and slow longitudinal waves in cancellous bone, IEEE Trans. Ultrason. Ferroelectr. Freq. Control, **60**, pp.1030-1035（2013）

17) A. Hosokawa : Numerical Analysis of Ultrasound Backscattered Waves in Cancellous Bone Using a Finite-Difference Time-Domain Method : Isolation of the Backscattered Waves from Various Ranges of the Bone Depths, IEEE Trans. Ultrason. Ferroelectr. Freq. Control, **62**, pp.1201-1210(2015)

18) A. Hosokawa : Numerical simulation of piezoelectric effect of bone under ultrasound irradiation, Jpn. J. Appl. Phys., **54**, 07HF06(7 pages)(2015)

19) T. Nagaoka, S. Watanabe, K. Sakurai, E. Kunieda, S. Watanabe, M. Taki, and Y. Yamanaka : Development of realistic high-resolution whole-body voxel models of Japanese adult male and female of average height and weight, and application of models to radio-frequency electromagnetic-field dosimetry, Phys. Med. Biol., **49**, pp.1-15(2004)

20) Y. Nagatani, A. Hosokawa, T. Sakaguchi, M. Matsukawa, and Y. Watanabe : Introduction of digital elastic model of human body for 3-D FDTD simulation − Elastic wave propagation in human body −, Proc. Symp. Ultrason. Elec., **29**, pp.471-472(2008)

21) Y. Nagatani and T. Saeki : Measurement and Estimation of the Wave Propagation in Human Body using Multi-Sensory System and 3-D Simulation, Proc. Symp. Ultrason. Elec., **34**, pp.561-562(2013)

22) 松山　宏：ディジタル技術と超音波探傷器，非破壊検査，**45**，pp.637-644(1996)

23) 藍　光郎 監修：次世代センサハンドブック，培風館，pp.318-324(2008)

24) 羽田野甫，保木文秋，松田利成：軸対象モデルによる弾性波伝搬の差分法シミュレーション，日本音響学会誌，**51**，pp.755-762(1995)

25) T. Xue, W. Load, and S. Udpa : Finite Elements Simulation and visualization of leaky Rayleigh waves for ultrasonic NDE, IEEE Trans. Ultrason., Ferroelect., Freq. Contr., **44**, pp.557-564(1997)

26) C.Y. Wang, J.D. Achenbach, and S. Hirose : Two-dimensional time domain BEM for scattering of elastic waves in solids of general anisotropy, Int. J. Solids Structures, **33**, pp.3843-3864(1996)

27) J. Virieux : P-SV wave propagation in heterogeneous media : Velocity-stress finite difference method, Geophysics, **51**, pp.889-901(1986)

28) N. Nakahata, J. Tokunaga, K. Kimoto, and S. Hirose : A large scale simulation of ultrasonic wave propagation in concrete using parallelized EFIT, Journal of Solid Mechanics and Materials Engineering, **2**(11), pp.1462-1469(2008)

29) C.A. Brebbia and P. Georgiou：Combination of boundary and finite elements in elastostatics, Appl. Math. Modelling, **3**, pp.212-220（1979）
30) 一般社団法人日本非破壊検査協会 編：新非破壊検査便覧，日刊工業新聞社，pp.261-262（1992）
31) 木村友則，三須幸一郎，和高修三，小池光裕：図形データ入力を用いたFDTD法による音場シミュレーション，一般社団法人日本非破壊検査協会平成17年秋季大会講演概要集，pp.1-2（2005）
32) 木村友則，三須幸一郎，和高修三，小池光裕：弾性波FDTD法による複雑形状きずの散乱音場およびエコーのシミュレーション，日本音響学会講演論文集，pp.1219-1220（2006-03）
33) 一般社団法人日本非破壊検査協会 編：非破壊検査概論1993年版，一般社団法人日本非破壊検査協会発行，p.36（1993）
34) 木村友則，三須幸一郎，和高修三，小池光裕：弾性波FDTD法による音場シミュレーションの超音波斜角探傷への適用，電子情報通信学会技術報告，US2005-124（2006）
35) 宇野 亨：FDTD法による電磁界およびアンテナ解析，コロナ社，pp.265-269（1999）
36) T. Kimura, K. Misu, S. Wadaka, and M. Koike：A hybrid model to calculate echoes and ultrasonic fields scattered by flaws combining FDTD method with Rayleigh integral, IECIE TRANS. FUNDAMENTALS, **E90-A**(7), pp.1366-1375（2007）
37) 木村友則：フェーズドアレイ探傷におけるハイブリッドFDTD法のシミュレーション，一般社団法人日本非破壊検査協会平成24年春季講演大会講演概要集，pp.37-40（2012）
38) T. Kimura and S. Wadaka：Simulation of Ultrasonic Fields and Echoes Obtained Using Angle Beam Transducer by Hybrid FDTD Method, E-Journal of Advanced Maintenance, **3**(1), pp.11-24（2011）
39) 木村友則，和高修三：超音波斜角探傷法におけるハイブリッドFDTD法のシミュレーション，日本音響学会講演論文集，pp.1417-1418（2011-03）
40) 木村友則，和高修三：ハイブリッドFDTD法による超音波探傷シミュレーション，計算工学講演会論文集，**15**，pp.379-382（2010）
41) J. Kushibiki and N. Chubachi：Material Characterization by Line-Focus-Beam Acoustic Microscope, IEEE Trans. Sonics and Ultrason., **SU-32**(2), pp.189-212（1985-03）
42) J. Kushibiki, A. Ohkubo, and N. Chubachi：Theoretical analysis of V(Z) curves

measured by acoustic line-focus beam, Proc. IEEE Ultranson. Symp., pp.623-628 (1982)

43) 佐藤雅弘：FDTD 法による弾性振動・波動の解析入門，森北出版（2003）
44) T. Aoyagi, M. Nakazawa, K. Nakamura, and S. Ueha：Numerical Analysis of Ultrasonic Beam of Variable-Line-Focus-Beam Film transducer, Jpn. J. Appl. Phys., **46**(7B), pp.4486-4489（2007）
45) T. Aoyagi, M. Nakazawa, M. Tabaru, K. Nakamura, and S. Ueha：Measurements of surface acoustic wave velocity using a polyurea ultrasonic variable-line-focus-beam-transducer, Proc. Symp. Ultrason. Electron., **28**, pp.353-354（2007）
46) T. Aoyagi, M. Nakazawa, M. Tabaru, K. Nakamura, and S. Ueha：Measurement of Surface Acoustic Wave Velocity using Variable-Line-Focus Polyurea Thin Film Ultrasonic Transducer, IEEE. Trans. Ultrason., Ferroelect., Freq. Contr., **56**(8), pp.1761-1768（2009-08）
47) M. Nakazawa, T. Kosugi, H. Nagatsuka, A. Maezawa, K. Nakamura, and S. Ueha：Polyurea Thin Film Ultrasonic Transducers for Nondestructive Testing and Medical Imaging, IEEE. Trans. Ultrason., Ferroelect., Freq. Contr., **54**(10), pp.2165-2174（2007-10）
48) C. J. Randall：Absorbing boundary condition for the elastic wave equation ; velocity-stress formulation, Geophysics, **54**(9), pp.1141-1152（1989）

第6章
聞く・話すのシミュレーション

　本章では，人間が音を聞いたり，話したりするメカニズムを解明するために行われた FDTD 法によるシミュレーションの例を紹介する．本章の解析対象は人体で，6.1 節では頭と耳介について扱い（**口絵 5**），6.2 節では声道を扱う．一目見てわかるように，耳介には複雑な凹凸があり，そこに生じる音響現象もやはり複雑である．声道は直接目で見ることができないが，分岐管のある屈曲した管状の空間であり，そこで生じる音響現象もまた複雑である．しかし，**磁気共鳴画像法**（magnetic resonance imaging：**MRI**）などの医療用の装置を利用すれば，これらの複雑な音響現象を FDTD 法でシミュレーションし，可視化することは意外に簡単である．それは，MRI などの医用画像はボクセルデータだからである．そのため，人体と空気とを二値化して分離さえすれば，たとえ解析対象がどのように複雑な形状であっても，FDTD 法でそのまま解析できる．すなわち，FDTD 法は医用画像と親和性が高い．6.1 節では，人間が音源の位置を知る手がかりとなる**頭部伝達関数**（head-related transfer function：**HRTF**）について簡単に解説し，そのピークやノッチがどのようにして生じるかを可視化結果から検討した例を紹介する．6.2 節では，人間が母音を発声しているときの声道形状とその音響特性を決定する伝達関数について簡単に解説し，耳介と同様に，そのピークやディップの生成に関する検討を行った例を紹介する．

6.1　頭　と　耳

6.1.1　HRTF と音像定位

　われわれの身のまわりにはさまざまな音波を発する物体（音源）がある．音源から放射された音波は空気中を伝わり，おもに頭部や耳介で反射や回折など

の音響的な修飾を受けて外耳道の入口に到達する。この伝搬経路の音響伝達関数を HRTF と呼び，以下の式で定義される[例えば1)]。

$$HRTF_{r,l}(\omega) = \frac{H_{r,l}(\omega)}{H_c(\omega)} \tag{6.1}$$

ここで，$H_{r,l}(\omega)$ は自由空間に配置した音源から受聴者の右（r），あるいは，左（l）の外耳道入口までの伝達関数，$H_c(\omega)$ は受聴者がいない状態での自由空間における音源から受聴者の頭部中心までの伝達関数である。HRTF は音の伝搬経路上にある頭部や耳介の形状を反映するため，音源の位置によって HRTF は変化し，同じ音源位置に対する HRTF は右耳と左耳で異なり，また，個人差も大きい。このような性質をもつ HRTF を利用して人間は音像定位しており，そのしくみは左右方向と前後・上下方向で異なる[2)]。

左右方向の音像定位は，左右の耳の HRTF の差である**両耳間時間差**（interaural time difference：**ITD**）と**両耳間レベル差**（interaural level difference：**ILD**）を手がかりとしている[例えば3)]。ITD が大きいとは，音源に近い側の耳に音がより早く届くことで，ILD が大きいとは，音源に近い側の耳で音圧レベルがより高くなることである。すなわち，人間は音が早く，また，大きく聞こえる側に音像があると知覚する。なお，ILD はすべての周波数帯域にわたって音像定位の手がかりとなるが，ITD は約 1 600 Hz 以下でのみ手がかりとなり，それ以上の周波数帯域ではそれぞれの耳に入力する信号の包絡線の時間差が手がかりとなることが知られている[3)]。

前後・上下方向の音像定位は，HRTF のスペクトルに手がかりが含まれている。**図 6.1** で示すように，受聴者の左右の耳を通る軸に垂直でその軸を中心とする円周上のすべての点（側方角 α を一定とし，上昇角 β を変化させた点）は，それぞれの耳までの距離が等しい。そのため，ITD と ILD はどの点でも一定となり，音像定位の手がかりとはならない。しかし，円周上の位置によって HRTF のスペクトルは変化する。さまざまな心理物理実験によって，HRTF の高帯域のスペクトル変化が前後・上下方向の音像定位に用いられていることが報告されている[4)～6)]。すなわち，人間は音色の変化で前後・上下方向の音像定

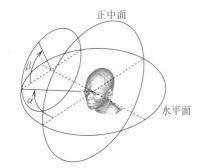

図 6.1 音源の側方角 α と上昇角 β

位を行っているといえる。

まとめると，人間は左右方向の音像定位には ITD と ILD を，前後・上下方向の音像定位には HRTF のスペクトルを手がかりとしている。なお，後者の手がかりとなる音源の上昇角の変化に対する HRTF の高帯域のスペクトル変化は，異なる矢状面（人体を左右に二等分する面を正中矢状面，あるいは，単に正中面と呼び，これに平行な面を矢状面と呼ぶ）で共通している[2]。

6.1.2　正中面における HRTF のピーク・ノッチのパタン

前項で紹介したように，音像定位の左右方向の手がかりは ITD と ILD であり，前後・上下方向の手がかりは HRTF のスペクトルである。前者はおもに音波が頭部を回り込む回折によって生じ，後者はおもに耳介による共鳴などの複雑な音響現象によって生じる。これらの音響現象は FDTD 法により容易に可視化できる。そこで，正中面における HRTF のスペクトルを形成するピークやノッチがどのような音響現象によって生成されるかを検討するために，耳介周辺の音場を可視化した結果を紹介する。それに先立って，まず，HRTF の計算方法について述べ，つぎに，スペクトルのピークやノッチが頭部ではなく耳介に由来することを示し，最後に，音源の上昇角によってピークやノッチがどのように変化するかについて述べる。

FDTD 法で HRTF を計算するためには，頭部の形状データが必要である。ここでは，MRI を使って撮像した頭部断層画像を 3 次元再構築したものを用い

る。MRI 画像は水素原子の分布を画像化したもので，水や脂肪が多い組織は白く，骨や空気は黒く，筋肉は灰色になる。そのため，適当な輝度値を選択することで，人体と空気とを分離することができる。つぎに，HRTF は外耳道入口を閉塞した条件で計測されることが多いので，これにあわせて形状データも外耳道入口を閉塞する。なお，形状データ作成の詳細は文献 7) を参照してほしい。

つぎに，FDTD 法で HRTF を計算する手法の概略を述べる。被験者を用いて HRTF を実測する場合，外耳道入口にマイクロフォン，空間の一点にスピーカを設置する[例えば8)]。しかし，音響の相反定理[9), 10)] によれば，マイクロフォンとスピーカの位置を入れ替えても同じ伝達関数を得ることができる。そこで，まず，閉塞した外耳道入口（以下，単に外耳道入口と呼ぶ）のすぐ外側に音源を置いてガウシアンパルスを印加し，空間の任意の点における応答を計算する。つぎに，頭部形状データから頭部を除去して頭部中心位置にガウシアンパルスを印加し，同じ点における応答を計算する。前者の応答を後者の応答で除すことによって，式 (6.1) と等価な HRTF を求めることができる。なお，ガウシアンパルスや HRTF の計算の詳細は文献 7) を，FDTD 法で計算した HRTF の精度については文献 11) を参照してほしい。

以上の手法を用いて求めた HRTF の計算例を示す。**図 6.2** は，解析する形状データと観測点を置く円を示している。図 (a) は，頭部形状データと，正

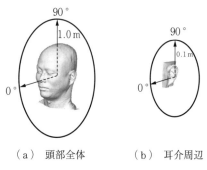

（a） 頭部全体　　　（b） 耳介周辺

図 6.2　形状データと観測点を置く円

中面上で頭部中心から半径 1.0 m の円を示している。図 (b) は，同じ頭部形状データから切り出した左の耳介周辺部分と，外耳道の入口を通る矢状面上で外耳道入口から半径 0.1 m の円を示している。いずれの場合でも，0°は正面方向，90°は真上方向である。これらの円周上に $-90°$ から 260° まで 10°間隔で観測点を置き，左の外耳道入口のすぐ外側に音源を置いて，前述した計算手法で伝達関数を求める。このとき得られるのは，図 (a) の場合は正中面における頭部中心から半径 1.0 m の左耳の HRTF であり，図 (b) の場合は，外耳道入口を通る矢状面における外耳道入口から半径 0.1 m の左の**耳介伝達関数**（pinna-related transfer function：**PRTF**）である。以下，前者を 1.0 m の HRTF，後者を 0.1 m の PRTF と呼ぶ。

図 6.3 は，1.0 m の HRTF と 0.1 m の PRTF の例である。縦軸は仰角，横軸は周波数である。濃淡は振幅スペクトルのレベルを表しており，黒い部分はピーク，白い部分はノッチである。ピークやノッチのレベルは，0.1 m の PRTF と 1.0 m の HRTF とで局所的に異なるものの，相対的な配置は同一である。ゆえに，HRTF のピークやノッチは耳介に由来するといえる。したがって，ピークやノッチの成因を検討するためには，頭部全体の形状データを用いなくても，耳介周辺の形状データを用いればよい。

図 6.4 は，実測された正中面の HRTF にもとづき[12]，正中面における HRTF の低い方から三つのピーク（P1, P2, P3）とノッチ（N1, N2, N3）のパタンを模式的に示したものである[7]。ピーク周波数は音源の仰角によらず一定しているが，ノッチ周波数は音源の仰角によって変化し，下方で低く，上方で高く

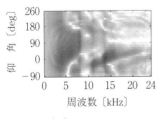
（a） 1.0 m の HRTF

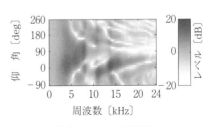
（b） 0.1 m の PRTF

図 6.3 HRTF と PRTF の例

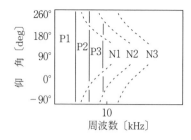

図 6.4　正中面のピーク・ノッチパタンの模式図

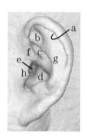

a. Scaphoid fossa：舟状窩
d. Triangular fossa：三角窩
c. Cymba conchae：耳甲介舟
d. Cavity of concha：耳甲介腔
e. Ear canal：外耳道
f. Crus of helix：耳輪脚
g. Antihelix：対輪
h. Tragus：耳珠

図 6.5　耳介各部の名称

なる。ノッチのこのような性質が音像の仰角知覚と関係すると考えることは妥当である。事実，Iida らは，P1，N1，N2 が音像の仰角知覚の手がかりになっていることを音像定位実験で示し，仰角によらず周波数が一定している P1 は，N1，N2 に対するリファレンスとしてはたらいていると考察した[13]。以降の項では，ピークやノッチが耳介上のどのような音響現象によって生じるのか，FDTD 法によるシミュレーションで可視化して検討する。なお，耳介各部の名称については，図 6.5 を参照してもらいたい。

6.1.3　正中面における HRTF のピーク生成のメカニズム

前項で述べたように，HRTF のピークやノッチは耳介に由来し，その生成メカニズムは耳介周辺のみの形状データを用いた音響シミュレーションで検討することが可能である。本項では，ピーク周波数で耳介を励振したときに発生する音響現象を FDTD 法によるシミュレーションにより可視化する。

可視化の対象としたのは，図 6.6 (a) で示すように，仰角 0° の PRTF の P1

6.1 頭 と 耳

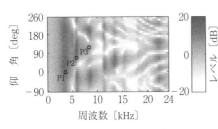
（a）PRTF と解析するピーク

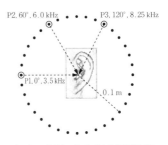
（b）音源の仰角と励振周波数

図 6.6　ピークに関する可視化対象周波数と音源位置

（周波数 3.5 kHz），仰角 60°の PRTF の P2（周波数 6.0 kHz），仰角 120°の PRTF の P3（周波数 8.25 kHz）である。図（b）で示すように，PRTF の計算における観測点の位置に正弦波音源を置いて励振し，定常状態に達した後，瞬時音圧の分布をボリュームレンダリングで可視化した。瞬時音圧を可視化した結果の図では，音圧が正で絶対値が相対的に大きな部分は灰色（⊕を付加），音圧が負で絶対値が相対的に大きな部分は黒色（⊖を付加）で表示されている。音圧変動が小さい部分は透明で表示されないが，音圧が正で絶対値がやや大きな部分は，ボリュームレンダリングのライトの影響で白く可視化されている。なお，それぞれの図と対応する動画では，音圧が正で絶対値が相対的に大きな部分は赤，音圧が負で絶対値が相対的に大きな部分は青で表示されている。すなわち，入射進行波の音圧の極大値と極小値，および，耳介に生じた音圧の腹が可視化されている。

図 6.7（a）（ A_6.1-1）は P1 周波数で耳介を励振したときの瞬時音圧の変化である。第 1 フレームでは進行波の波面がほとんど見えず，第 2 フレームでは一つの正の音圧の腹（⊕）が耳甲介腔，耳甲介舟，三角窩にわたって生じている。第 3 フレームでも進行波の波面はほとんど見えず，第 4 フレームでは一つの負の音圧の腹（⊖）が第 2 フレームと同じ場所に生じている。励振により，この音圧分布パタンの変化が繰り返される。これは，耳甲介腔，耳甲介舟，三角窩が全体として同じ位相，かつ，大きな振幅で振動していることを示す。すなわち，耳介に生じた第 1 モードである。このとき，耳甲介腔の深い部

154　6. 聞く・話すのシミュレーション

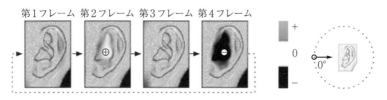

（a）仰角 0°方向に音源を置いて P1 周波数（3.5 kHz）で励振

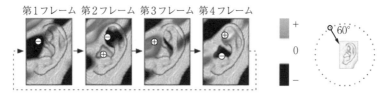

（b）仰角 60°方向に音源を置いて P2 周波数（6.0 kHz）で励振

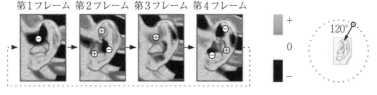

（c）仰角 120°方向に音源を置いて P3 周波数（8.25 kHz）で励振

図 6.7　耳介を励振したときに生じるモード

分ほど音圧変動が大きいことから，これは耳甲介腔の深さを 1/4 波長とする耳介の内外方向に発生する共鳴である．このモードは，図 6.6（a）で示すように音源がどの仰角にあっても励起される．なお，第 1，第 3 フレームで進行波の波面がほとんど見えず，第 2，第 4 フレームで音圧の腹がはっきり見えるのは，進行波に対して耳介で生じている共鳴がきわめて強いことを示している．

　図 6.7（b）（●**A_6.1-2**，および，**口絵 6**）は P2 周波数で耳介を励振したときの瞬時音圧の変化である．第 1 フレームでは，耳介に対して前上方から到来した進行波の負の音圧の波面（⊖）が三角窩付近に到達している．第 2 フレームでは，三角窩と耳甲介腔に負の音圧の腹（⊖）が生じ，耳甲介腔に正の音圧の腹（⊕）が生じている．第 3 フレームでは，進行波の正の音圧の波面

(⊕)が三角窩付近に到達している.第4フレームでは,三角窩と耳甲介腔に正の音圧の腹(⊕)が生じ,耳甲介腔に負の音圧の腹(⊖)が生じている.すなわち,励振によって,三角窩から耳甲介舟にかけて一つ,耳甲介舟に一つ,たがいに位相が逆の音圧の腹が生じるパタンの変化が繰り返される.これは,耳介の第2モードである.第1モードは耳介の内外方向に生じたが,これは耳介の表面に沿って上下方向に生じた1番目のモードである.

図6.7(c)(● A_6.1-3)はP3周波数で耳介を励振したときの瞬時音圧の変化である.第1フレームでは,耳介に対して後上方から到来した進行波の負の音圧の波面(⊖)が耳甲介舟付近に到達している.第2フレームでは,三角窩と耳甲介腔の前部に正の音圧の腹(⊕)が生じ,耳甲介腔の後部から耳甲介舟にかけて負の音圧の腹(⊖)が生じている.第3フレームでは,進行波の正の音圧の波面(⊕)が耳甲介舟付近に到達している.第4フレームでは,三角窩と耳甲介腔の前部に負の音圧の腹(⊖)が生じ,耳甲介腔の後部から耳甲介舟にかけての部分に正の音圧の腹(⊕)が生じている.励振により,この音圧分布パタンの変化が繰り返される.すなわち,励振により,三角窩と耳甲介腔の前部に一つずつ同位相の音圧の腹が生じ,これらに対して逆位相の音圧の腹が耳甲介腔の後部から耳甲介舟にかけて一つ生じている.これは,耳介の第3モードであり,耳介の表面に沿って上下方向に生じた2番目のモードである.

まとめると,P1,P2,P3は耳介のモードに起因する.すなわち,これらの周波数では,外耳道入口付近に音圧の腹が生じて音圧変動の振幅が大きくなるため,HRTFではピークとして現れる.なお,本項ではそれぞれのピーク周波数に対して一つの仰角方向に音源を置いてモードを励起したが,どの仰角方向に音源を置いても同じモードを励起できる.また,本項では扱わなかったが,4番目以降のピークも耳介のモードに起因する.これらの結果は先行研究の結果[14),15)]と一致した.

6.1.4 正中面における HRTF のノッチ生成のメカニズム

6.1.2 項で述べたように,同じ第 1 ノッチ (N1) であっても,その周波数は音源の仰角によって変動する。そのため,ノッチの生成メカニズムも音源の仰角によって変動する。さまざまな音源の仰角に対してノッチの生成メカニズムを検討した結果,大きく三つのパタンに分類できることが明らかになった[7]。それは,① 音源が下方にあるとき,② 音源が前上方にあるとき,③ 音源が後上方にあるときである。以降では,これらをそれぞれ N1-1, N1-2, N1-3 と呼ぶ。本項では,これら三つのパタンに対して,それぞれ図 6.8(a) で示す仰角 −30° の PRTF の N1(周波数 5.25 kHz),仰角 60° の PRTF の N1(周波数 7.25 kHz),仰角 150° の PRTF の N1(周波数 8.25 kHz)を取り上げ,ノッチ生成の音響現象を可視化する。なお,可視化の設定は前項と同じである。

図 6.9(a)(🔘 A_6.1-4)は,音源が下方にある場合,すなわち N1-1 のときの瞬時音圧の変化の 1 周期を代表的な四つのフレームで表示したものである。第 1 フレームでは,耳介に対して前下方から到来した進行波の正の音圧の波面(⊕)が耳介の下端に到達している。第 2 フレームでは,その正の音圧の波面(⊕)と,耳甲介舟から三角窩にかけて生じた一つの負の音圧の腹(⊖)にはさまれて,外耳道入口のある耳甲介腔の前部では音圧の絶対値が小さくなり,音圧の節が生じている。第 3 フレームでは,進行波の負の音圧の波面(⊖)が耳介の下端に達している。第 4 フレームでは,その負の音圧の波面(⊖)と,甲介舟から三角窩にかけて生じた一つの正の音圧の腹(⊕)にはさまれ

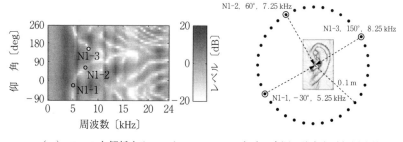

(a) PRTF と解析するノッチ　　　(b) 音源の仰角と励振周波数

図 6.8　ノッチに関する可視化対象周波数と音源位置

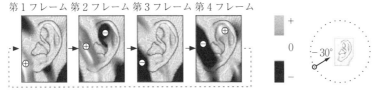

(a) 仰角 −30° 方向に音源を置いて N1 周波数（5.25 kHz）で励振

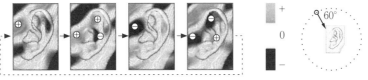

(b) 仰角 60° 方向に音源を置いて N1 周波数（7.25 kHz）で励振

図 6.9　音源が下方と前上方にあるときの進行波と耳介に生じる音圧の腹

て，第 2 フレームと同様に，外耳道入口のある耳甲介腔の前部に音圧の節が生じている。すなわち，このシミュレーションの結果は，進行波により耳介に定在波が立って，外耳道入口のある耳甲介腔の前部に音圧の節が生じることを示している。

図 6.9（b）（ A_6.1-5）は，音源が前上方にある場合，すなわち，N1-2 のときの瞬時音圧の変化の 1 周期を示したものである。第 1 フレームでは，耳介に対して前上方から到来した進行波の正の音圧の波面（⊕）が耳輪脚付近に到達している。第 2 フレームでは，三角窩に正，耳甲介舟の後部から耳甲介腔の後部にかけて負の音圧の腹（⊖）が生じ，後者と進行波の正の音圧の波面（⊕）にはさまれて，外耳道入口のある耳甲介腔の前部には音圧の節が生じている。第 3 フレームでは，進行波の負の音圧の波面（⊖）が耳輪脚付近に到達している。第 4 フレームでは，三角窩に負（⊖），耳甲介舟の後部から耳甲介腔の後部にかけて正の音圧の腹（⊕）が生じ，後者と進行波の負の音圧の波面（⊖）にはさまれて，外耳道入口のある耳甲介腔の前部には音圧の節が生じている。すなわち，進行波によって耳介に定在波が立って，外耳道入口のある耳甲介腔の前部に音圧の節が生じている。音源が下方にある N1-1 では耳介に生

158   6. 聞く・話すのシミュレーション

じた音圧の腹は一つだけであったが，音源が前上方にある N1-2 では音圧の腹は二つであり，たがいに逆位相であった。

　図 6.10（○ A_6.1-6, A_6.1-7）は，音源が後上方にある場合，すなわち，N1-3 のときの瞬時音圧の変化の 1 周期を示したもので，下段は上段の破線で示した位置の断面である。第 1 フレームでは，耳介に対して後上方から到来した進行波の正の音圧の波面（⊕）が舟状窩付近に到達している。第 2 フレームでは，三角窩に正（⊕），耳甲介舟に負の音圧の腹（⊖）が生じている。耳介に対して外側を通過する進行波の正の音圧の波面（⊕）と，内側にある耳甲介舟に生じた負の音圧の腹（⊖）にはさまれて，耳甲介舟から外耳道入口のある耳甲介腔の前部に音圧の節が生じている。第 3 フレームでは，進行波の負の音圧の波面（⊖）が舟状窩付近に到達している。第 4 フレームでは，三角窩に負（⊖），耳甲介舟に正の音圧の腹（⊕）が生じ，後者と外側を通過する進行波の負の音圧の波面（⊖）との間にはさまれて，音圧の節が生じている。進行波によって三角窩と耳甲介舟にたがいに逆位相である二つの音圧の腹が生じる点では，音源が前上方にある N1-2 と同様である。しかし，N1-2 では進行波の波面と耳甲介舟に生じた逆位相の音圧の腹が正対することによって音圧の節が生じるが，N1-3 では進行波の波面が外側，耳甲介舟に生じた逆位相の音圧の腹が内側に位置することによって音圧の節が生じる点で異なっている。

　まとめると，N1 は外耳道入口に生じた音圧の節に起因する。すなわち，進

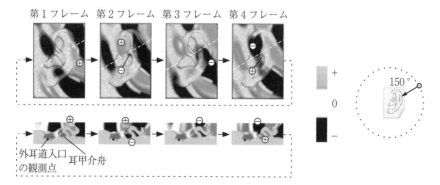

図 6.10 音源が後上方にあるときの進行波と耳介に生じる音圧の腹

行波によって耳介に定在波が立ち，耳介の特定の部位に音圧の腹が，外耳道入口に音圧の節が生じて振動を繰り返す．音圧の節では音圧変動が小さいので，これが HRTF では N1 として観察される．音源の仰角によって N1 の周波数が変化するのは，外耳道入口に音圧の節が位置するような定在波が立つための条件，すなわち，音圧の腹の生成に関与する耳介の部位が音源の仰角によって変化するためであると思われる．ノッチの成因に関して Raykar らは，直接波と耳介からの反射波とがたがいに打ち消し合うことによってノッチが生成されるとした[12]．この説は，耳介上に音圧の腹ではなく，単純な反射点を仮定しているため，音源が後上方にあるときに適用できない[12]が，音圧の節が外耳道入口に位置することによってノッチが生じるという点で，これまで述べてきた結果と共通している．

6.1 節では，ピークやノッチの成因となる音響現象を FDTD 法により可視化した．これらの音響現象は複雑で動的であり，これを図と文章で説明することは大変である．しかし，付録 DVD に収録されている動画を見れば，現象を直観的に理解していただけるだろう．

6.2 声　　　　道

6.2.1 母音生成のメカニズム

声道は，喉頭腔（laryngeal cavity），咽頭腔（pharyngeal cavity），口腔（oral cavity），鼻腔（nasal cavity）からなる体内の空間である（図 6.11）．鼻母音以外の通常の母音（以下，単に母音と呼ぶ）は，声帯振動によって発生した音が，鼻腔を除く声道を通過するときに音響的に修飾されて口唇から放射される音声で，声道をせばめることによる著しい乱流雑音を含まないものである．なお，本節では，喉頭腔や咽頭腔は図 6.11 で示す部分を表しているとするが，解剖学的に厳密な定義については，例えば，Grays' Anatomy[16] などの専門書を参照してほしい．

母音生成の音響的な過程は，（線形の）ソース・フィルタ理論[例えば 17), 18)] で説

160   6. 聞く・話すのシミュレーション

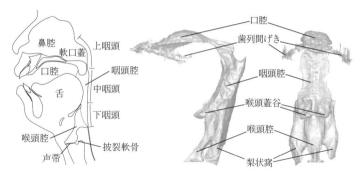

発話器官の断面　　　母音/u/の声道（左側面）　　母音/u/の声道（正面）

図 6.11　発話器官と声道各部の名称

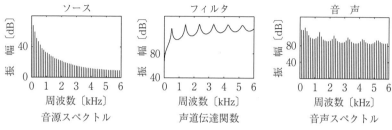

音源スペクトル　　　　　声道伝達関数　　　　　音声スペクトル

図 6.12　ソース・フィルタ理論（放射特性はフィルタに包含）

明される（図 6.12）。これは，音声スペクトルは声帯振動による音源のスペクトル（ソース）と声道形状によって決まる声道伝達関数（フィルタ）の積（対数では和）で表されるという理論であり，ソースとフィルタは独立していると見なす。ソースの違いはおもに声の高さや強さとして知覚され，フィルタの違いは母音の違いとして知覚される。なお，声道伝達関数のピークは，音声スペクトルのエネルギーが集中して生じた山であるフォルマントとして観察される。このフォルマント周波数の組み合わせが母音の弁別に重要である。このように，ソースとフィルタを分離することで母音の生成過程は理解しやすくなる。しかし，声帯振動の基本周波数が上昇して声道の第 1 共鳴周波数に近づくと，声帯振動は声道形状の影響を強く受けるようになり，声帯振動が不安定になったり，停止したりする。つまり，声が低いときはこの理論は有効であるが，声が高いときは有効ではなく，声帯と声道との相互作用を考慮する必要が

ある[19), 20)]。

6.2.2 声道伝達関数の計算とその精度検証

声帯と声道との相互作用をどの程度考慮するかによらず，音声の生成過程を検討するうえで声道伝達関数は重要である。本項では，FDTD法で声道伝達関数を計算する方法と，その精度を検証するための音響実験について紹介する。

母音発声中の声道形状は，MRIを用いて計測する[21)]。被験者はヘッドフォンを通じて提示される聴覚刺激にあわせて同じ母音を繰り返して発声し，それにあわせてMRI撮像を行う[22)]。これによって，軟口蓋(なんこうがい)が挙上し，披裂軟骨が内転した発声時の声道形状を撮像することができる。MRIの画像上では，歯列と口腔は同じ輝度値をもつため，口腔形状は正確に計測できない。そこで，別のMRI実験で抽出した歯列を3次元の画像処理により補てんする[23)]。そして，声門から唇までの声道壁を抽出し，ある程度の厚み（例えば，3mm）をもたせる。こうして得られた厚みをもつ声道壁の形状データは中空であり，その内部は声道形状を忠実に再現している。そこで，これを解析データとしてFDTD法により声道伝達関数を計算する[24)]。また，同じ形状データを光造形法で実体化した声道模型を用いて，音響実験により声道伝達関数を実測する[25)]。図6.13は母音/a/の解析データと声道模型を示している。

図6.14（a）に，FDTD法を用いて声道伝達関数を計算するための設定を示す。閉塞した声門の直上に音源を置いてガウシアンパルスを印加する。そして，口唇から3cm離れた観測点でその応答を計算する。6.1節のHRTFと同

（a）解析データ　　　　（b）声道模型

図6.13　解析データと声道模型

162　　6. 聞く・話すのシミュレーション

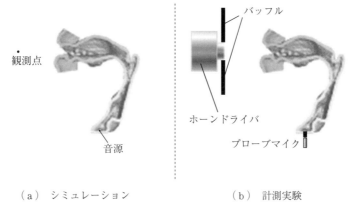

　　（a）シミュレーション　　　　　　（b）計測実験

図 6.14　シミュレーションと計測実験

様に，この応答を，解析データを除去したときに得られる応答で除して正規化することにより，声道伝達関数を得ることができる。なお，FDTD 法によるシミュレーションの詳細なパラメータなどについては，文献 24)を参照してほしい。

　図 6.14（b）は，声道模型を用いて声道伝達関数を計測する実験の概略を示している。口唇側にバッフル板を付けたホーンドライバを置き，機器などの特性を 10 kHz まで補正して平坦にした Optimized Aoshima's Time-Stretched Pulse（OATSP）[26] を放射し，閉塞した声門にプローブマイクを挿入して信号を計測する。得られた信号を処理することで声道伝達関数を得ることができる[25]。なお，FDTD 法によるシミュレーションと声道模型を用いた音響実験では，音源と観測点の位置が逆であるが，音響の相反定理（6.1 節参照）によれば，音源と観測点の位置を入れ替えても同じ伝達関数が得られるため，比較するうえで問題はない。

　図 6.15 は，FDTD 法によるシミュレーションによって得られた基本母音/a/，/i/，/u/の声道伝達関数と，声道模型を用いた音響実験によって得られた声道伝達関数をプロットしたものである（/e/，/o/については文献 24)を参照）。比較しやすいように，後者は−50 dB ほど下方へ平行移動してプロットしてある。実測した声道伝達関数に比べて，計算した声道伝達関数のピーク

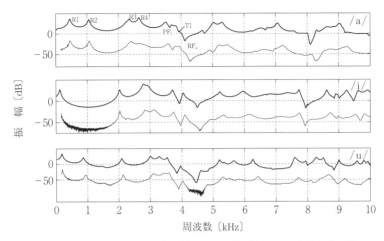

図 6.15 シミュレーション（太線）と実測（細線）による声道伝達関数

やディップの周波数は全体として低い傾向にあるが，ピークやディップのパタンはよく一致している。これは，声道内で起こる音響現象を FDTD 法で再現できることを意味している。すなわち，それぞれのピークやディップの周波数で励振したときの音圧分布パタンの変動を可視化することによって，それらがどのような音響現象に由来するかを検討することができる。そこで，ここでは母音 /a/ を取り上げ，6.2.3 項では周波数の低い四つのピーク（R1, R2, R3, R4）がどのようなモードによって生成されるかを検討した結果を示し，6.2.4 項では梨状窩による二つのディップ（PF_l, PF_u）と，口腔内の横モードによる一つのディップ（T1）がどのような音響現象によって生じるかを検討した結果について示す。なお，6.1 節で扱った HRTF では，スペクトルの極小値をノッチと呼ぶが，声道伝達関数ではディップと呼ぶことが多いので，本節ではこれに従う。

6.2.3 声道伝達関数のピークの成因

　低い周波数領域における声道伝達関数のピークは，声道を片開き管（声門を閉鎖端，口唇を開放端）と見なしたときに長軸に沿って発生する共鳴に由来する[例えば17), 18)]。**図 6.16** は，左に開放端を向けた一様円筒管（断面積の変化がな

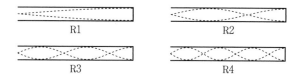

図 6.16　一様円筒管の第 1 ～ 4 共鳴周波数における音圧のモード

い管）の第 1 ～ 4 共鳴周波数（R1 ～ R4）における音圧のモードである（2.5 節参照）。管の中の二つの破線が上下に離れている場所は音圧変動が大きく，音圧の腹に相当する。一方，二つの破線が交差している場所は音圧変動が小さく，音圧の節に相当する。高次のモードになるにつれて，音圧の腹と節の数が増加する。実際の声道は複雑な形状をしているが，低い周波数領域では平面波伝搬が仮定できるため，この図と類似したモードを示すと考えられている。

　図 6.17（💿 A_6.2-1～A_6.2-4）は，母音/a/の声門の直上に音源を置いて，第 1 ～ 4 共鳴周波数で励振したときの声道の右半分における瞬時音圧の分布を可視化したものである。励振の一周期で，図 6.17 の左列と右列で示す瞬時音圧の分布が繰り返される。可視化では，音圧が正で絶対値が大きいボクセルは白（動画では赤），音圧が負で絶対値が大きいボクセルは黒（動画では青），音圧の絶対値が小さいボクセルは透明になるように音圧の範囲を適宜設定した。つまり，白くなったり黒くなったりする部分（動画では赤くなったり青くなったりする部分）は音圧の腹，透明な部分は音圧の節である。また，図では，音圧の腹には⊕，⊖の符号を付加して位相を示し，音圧の節の位置は n で示している。

　第 1 共鳴周波数（460 Hz）で励振すると，声道全体の音圧が正になったり，負になったりを繰り返した（図 6.17 中，R1-1, R1-2, 💿 A_6.2-1）。第 2 共鳴周波数（1 060 Hz）で励振すると，声道の 2 か所に音圧の腹が生じ，たがいに逆位相となった（図中，R2-1, R2-2, 💿 A_6.2-2）。第 3 共鳴周波数（2 340 Hz）で励振すると，声道の 3 か所に音圧の腹が生じ，声門側から 1 番目と 3 番目の腹は同位相で振動し，これらに対して 2 番目の腹は逆位相で振動した（図中，R3-1, R3-2, 💿 A_6.2-3）。第 4 共鳴周波数（2 660 Hz）で励振する

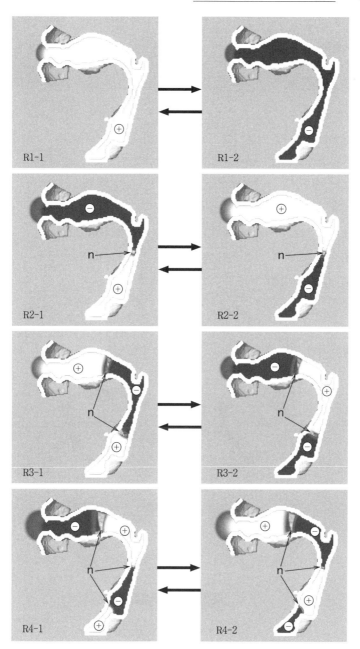

図 6.17 第1〜4共鳴周波数で励振したときの瞬時音圧分布

と，声道の4か所に音圧の腹が生じ，声門側から1番目と3番目の音圧の腹が同位相で振動し，これらに対して2番目と4番目の腹は逆位相で振動した（図中，R4-1，R4-2， A_6.2-4）。これらの結果は，実際の声道でも図6.16で示すモードが発生することを示す。

図6.18は，第1～4共鳴周波数で励振したときの正中面における各点の振幅を解析領域中での最大振幅で正規化して表示したものである。振幅が小さいほど白，最大に近いほど黒である。第1共鳴周波数では，励振源のある喉頭腔で最も振幅が大きく，口唇端に向かうにつれて振幅が徐々に減少する。これは，図6.16で示した第1共鳴周波数の音圧のモードとよく一致する。しかし，第2～4共鳴周波数では，二つ以上現れる音圧の腹の振幅は必ずしも同じではない。第2共鳴周波数では，口唇側にある音圧の腹の振幅の方が大きくなっており，第3共鳴周波数では，中央の音圧の腹で振幅が大きくなっている。第4共鳴周波数では，喉頭腔の音圧の腹がほかの腹に比べて著しく振幅が大きくなっており，これは，声道の第4共鳴が喉頭腔の固有共鳴に由来するという従来の知見[27]を裏付けている。

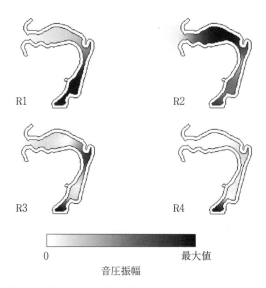

図6.18　第1～4共鳴周波数における音圧の振幅分布

まとめると，声道を共鳴周波数で励振すると，図6.16で示すモードが発生するが，音圧の腹が複数ある場合，それらの振幅は大きく異なる。これは声道形状の影響であり，声道共鳴に貢献する度合いは部分ごとに異なることを意味する。このような差異は音響感度特性[28)〜31)]と呼ばれ，声道の特定部位の形状を変化させることで，特定の共鳴周波数を選択的に制御することを可能にする。こうした声道の音響的な特性は，歌唱フォルマントの生成[32)]や，声の高さにあわせて声道共鳴を変化させるフォルマント調整[33), 34)]などの歌唱技術に用いられていると考えられる。

6.2.4 声道伝達関数のディップの成因

図6.15で示したように，声道伝達関数には多くのディップがある。その成因は二つである。一つは声道の局所的な陥凹で起こる共鳴である。陥凹の固有共鳴周波数では，陥凹の中の空気が大きく振動して音響エネルギーを消費するため，口唇から放射されるエネルギーが減少し，声道伝達関数ではディップとなる。もう一つはいわゆる声道の横モードである。これは，声門から口唇へ向かう声道の長軸と直交する方向に生じる共鳴で，前者と同様に，その振動によって音響エネルギーが消費されて声道伝達関数ではディップとなる。なお，厳密には，これらの共鳴によってディップのすぐ近傍にピークも生成される（極零対）。本項では，FDTD法を用いてディップの周波数で声道を励振したときの音響現象を可視化した例を，その成因ごとに一つずつ紹介する。

まず，声道の局所的な陥凹による音響現象を可視化した例を示す。声道にある最も大きな陥凹は梨状窩である[24)]。これは食道の入口を形成し，喉頭腔の両脇に左右一対あり，深さが約2 cmのポケット状の空間である[35)]。声道伝達関数において梨状窩が生成するディップを特定するために，梨状窩を閉塞した声道伝達関数を計算して，梨状窩を閉塞していない声道伝達関数と比較した。すると，図6.15においてPF_lとPF_uで示した二つのディップが消失した。よって，梨状窩はこれら二つのディップを生成するといえる[24)]。また，片側の梨状窩だけを閉塞すると，これら二つのディップの一方が消失し，他方の周波数が

変動した[24]。これはディップの生成において，左右の梨状窩に音響的な相互作用があることを意味している[36]。

そこで，声道を PF_l の周波数 3 640 Hz と PF_u の周波数 4 120 Hz で励振して瞬時音圧の分布を可視化した。図 6.19 は，咽頭後壁を除去して，咽頭腔と梨状窩における音圧分布が見えるように声道を後方から表示したものである。なお，この可視化の設定も図 6.17 と同様である。

PF_l の周波数 3 640 Hz で励振すると，PF_l-1 と PF_l-2 で示す音圧変動を繰り返す（●A_6.2-5）。この周波数では，左右の梨状窩にそれぞれ一つずつ音圧の腹が生じ，これら二つの腹はほぼ逆位相で振動する。PF_u の周波数 4 120 Hz で励振すると，PF_u-1 と PF_u-2 で示す音圧変動を繰り返す（●A_6.2-6）。この周波数では，左右の梨状窩にそれぞれ一つずつ音圧の腹が生じ，これら二つの腹は同位相で振動する。すなわち，周波数の低いディップは左右の梨状窩が逆位相で振動することで生じ，周波数が高いディップは左右の梨状窩が同位相で振動することで生じる。これは，梨状窩に由来する二つのディップが，左右

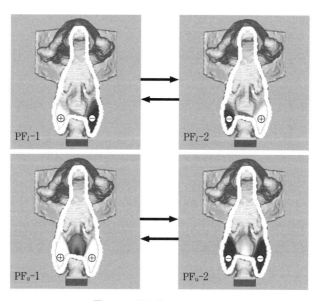

図 6.19　梨状窩による反共鳴

の梨状窩を二つの振動子とする連成振動系の二つの基準振動によって生成されることを意味している[36]。そのため，一方の梨状窩の形状のみを変化させたとしても，二つの基準振動の周波数が変化するため，伝達関数に現れる二つのディップの周波数はともに変化する。なお，喉頭蓋谷，歯列間げき（図 6.11）も左右一対ある陥凹である。これらの陥凹もそれぞれ連成振動系として機能して，声道伝達関数にディップを生じている可能性がある。

つぎに，もう一つのディップの成因である横モードを可視化した例を示す。母音 /a/ では，口を開いて舌を後下方に移動させるため，口腔が大きくなる。そのため，口腔の左右方向に両端を閉鎖端とする横モードが，比較的低い周波数で発生することが知られている[37]。図 6.15 で示した母音 /a/ の声道伝達関数では，T1 で示した小さなディップが第 1 横モードであった。

そこで，T1 の周波数 3 920 Hz で声道を励振した。**図 6.20** は，硬口蓋を除去して，口腔内の瞬時音圧の分布が見えるように声道を上方から可視化したものであり，図の上方が前方（口唇側）である。この可視化の設定も，図 6.17，図 6.19 と同様である。

励振によって，口腔内の音圧分布は T1-1 から T1-4 を繰り返す（図 6.20，🔵 **A_6.2-7**)。シミュレーションに先立って，第 1 横モードでは口腔の左右の端に音圧の腹が現れるので，T1-1 と T1-3 が繰り返されるものと予想した。すなわち，口腔の左右の端で，位相が逆の二つの音圧の腹の生成と消滅が繰り返されると考えた。しかし，実際には，T1-1 で示す口腔の右側に現れた，音圧が正で絶対値が大きな部分（⊕）は口腔の前方の口唇付近に移動し，左側に現れた，音圧が負で絶対値が大きな部分（⊖）は口腔の後方に移動して T1-2 の

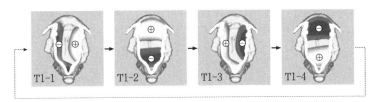

図 6.20 口腔における第 1 横モード

ような瞬時音圧の分布となる。すなわち，音圧の絶対値が大きな部分が上から見て反時計回りに回転する。そして，これらの音圧の絶対値が大きな部分は回転をつづけて T1-3 の配置になり，さらに T1-4 を経て T1-1 に戻る。すなわち，励振によって，音圧の絶対値が大きな部分が口腔内を回転する。この様子はぜひ動画でご覧いただきたい。この回転は，Motoki ら[37] によって報告されており，このシミュレーションでは，この回転を可視化することができた。なお，口腔内の横モードは，口腔が広い /a/ と /o/ でしか発生しない[24]。また，口腔内の横モードによるディップは小さい[24]。しかし，咽頭腔の下部に発生する横モードは，その形状の母音による変化が小さいため，どの母音でも 8 kHz 以上の高い周波数領域に発生し，しかもそのディップは大きい[38]。

6.2 節では，母音を特徴付ける声道伝達関数のピークやディップの成因となる音響現象を FDTD 法で可視化した。まず，ピークは声道の共鳴に由来することを示した。これは，6.1 節で紹介した HRTF のピークも同様である。しかし，声道は細長い共鳴腔であるため，声道伝達関数のピークはいずれもその長軸に沿った共鳴に由来するが，耳介は浅い共鳴腔であるため，HRTF のピークは耳介の深さ方向だけでなく，表面に沿った上下方向の共鳴にも由来する点で異なる。

つぎに，ディップは陥凹による局所的な共鳴と声道の横方向に生じる共鳴によって生じることを示した。これは，6.1 節で紹介した HRTF のノッチの成因とは異なる。声道伝達関数のディップはいずれも共鳴によって生じるため，本項では触れなかったが，ディップだけでなくピークも生成する。一方，HRTF のノッチは耳介に生じた定在波の節によって生じ，ピークをともなわない。また，声道伝達関数のディップ周波数は方向によって変動することはないが，HRTF のノッチ周波数は音源の方向によって変化する。

耳介と声道はいずれも複雑な共鳴器であり，その形状を反映して伝達関数上にピークやノッチ（ディップ）が現れる。FDTD 法による励振シミュレーションとその可視化で，その成因について理解を深めていただければ幸いである。

引用・参考文献

1) 日本音響学会編:音と人間, コロナ社, (2011)
2) M. Morimoto and H. Aokata:Localization cues of sound sources in the upper hemisphere, J. Acoust. Soc. Jpn. (E), **5**(3), pp.165-173 (1984)
3) イェンスブラウエルト, 森本政之, 後藤敏幸:空間音響学, 鹿島出版会 (1986)
4) M. B. Gardner and R. S. Gardner:Problem of localization in themedian plane: Effect of pinnae cavity occlusion, J. Acoust. Soc. Am., **53**(2), pp.400-408 (1973)
5) J. Hebrank and J. Wright:Spectral cues used in the localization of sound sources on the median plane, J. Acoust. Soc. Am., **56**(6), pp.1829-1834 (1974)
6) R. A. Butler and K. Belendiuk:Spectral cues used in the localization of sound sources on the median plane, J. Acoust. Soc. Am., **61**(5), pp.1264-1269 (1977)
7) H. Takemoto, P. Mokhtari, H. Kato, R. Nishimura, and K. Iida:Mechanism for generating peaks and notches of head-related transfer functions in the median plane, J. Acoust. Soc. Am., **132**(6), pp.1829-1834 (2012)
8) 平原達也, 大谷 真, 戸嶋巌樹:頭部伝達関数の計測とバイノーラル再生にかかわる諸問題, Fundamentals Review, **2**(4), pp.68-85 (2009)
9) A. D. Pierce:Acoustics:An Introduction to Its Physical Principles and Applications, Acoustical Society of America, Melville, NY (1989)
10) D. N. Zotkin, R. Duraiswami, E. Grassi, and N. A. Gumerov:Fast head-related transfer function measurement via reciprocity, J. Acoust. Soc. Am., **120**(4), pp.2202-2215 (2006)
11) P. Mokhtari, H. Takemoto, R. Nishimura, and H. Kato:Comparison of simulated and measured HRTFs:FDTD simulation usingMRI head data, 123rd Audio Engineering Society (AES) Convention, New York, Preprint No.7240, 1-12 (2007)
12) V. C. Raykar, R. Duraiswami, and B. Yegnanarayana:Extracting the frequencies of the pinna spectral notches in measured head related impulse responses, J. Acoust. Soc. Am., **118**(1), pp.364-374 (2005)
13) K. Iida, M. Itoh, A. Itagaki, and M. Morimoto:Median plane localization using a parametric model of the head-related transfer function based on spectral cues, Appl. Acoust., **68**, pp.835-850 (2007)
14) E. A. G. Shaw:Acoustical features of the human ear, in Binaural and Spatial Hearing in Real and Virtual Environments, edited by R. H. Gilkey and T. R.

Anderson (Erbaum, Mahwah, NJ), pp.25-47 (1997)
15) Y. Kahana and P. A. Nelson : Numerical modeling of the spatial acoustic response of the human pinna. J. Sound Vib., **292**, pp.148-178 (2006)
16) P. L. Williams, L. H. Bannister, M. M. Berry, P. Collins, M. Dyson, J. E. Dussek, and M. W. J. Ferguson : Gray's Anatomy 38th ed., Churchill Livingstone, New York (1995)
17) G. Fant : Acoustic Theory of Speech Production, Mouton, The Hague, Paris (1970)
18) K. N. Stevens : Acoustic Phonetics, The MIT Press, Cambridge, MA (2000)
19) I. R Titze : Nonlinear source-filter coupling in phonation : Theory, J. Acoust. Soc. Am., **123**(5), pp.2733-2749 (2008)
20) I. Titze, T. Riede, and P. Popolo : Nonlinear source-filter coupling in phonation : Vocal exercises, J. Acoust. Soc. Am., **123**(5), pp.1902-1915 (2008)
21) 竹本浩典，北村達也：MRIに基づく音声生成の研究手法の概要，電子情報通信学会誌，**94**(7), pp.585-590 (2011)
22) H. Takemoto, T. Kitamura, H. Nishimoto, and K. Honda : A method of tooth superimposition on MRI data for accurate measurement of vocal tract shape and dimensions, Acoust. Sci. Tech., **25**(6), pp.468-474 (2004)
23) S. Takano, K. Honda, and K. Kinoshita : Measurement of cricothyroid articulation using high-resolution MRI and 3D pattern matching, Acta Acust., **92**(5), 725-730 (2006)
24) H. Takemoto, P. Mokhtari, and T. Kitamura : Acoustic analysis of the vocal tract during vowel production by finite-difference time-domain method, J. Acoust. Soc. Am., **128**(6), pp.3724-3738 (2010)
25) T. Kitamura, H. Takemoto, S. Adachi, and K. Honda : Transfer functions of solid vocal-tract models constructed from ATR MRI database of Japanese vowel production, Acoust. Sci. Tech., **30**(4), pp.288-296 (2009)
26) Y. Suzuki, F. Asano, H. Y. Kim, and T. Sone : An optimum computer-generated pulse signal suitable for the measurement of very long impulse responses, J. Acoust. Soc. Am., **97**(2), pp.1119-1123 (1995)
27) H. Takemoto, S. Adachi, T. Kitamura, P. Mokhtari, and K. Honda : Acoustic roles of the laryngeal cavity in vocal tract resonance, J. Acoust. Soc. Am., **120**(4), pp.2228-2238 (2006)
28) G. Fant and S. Pauli : Spatial characteristics of vocal tract resonance modes, Proc. Speech Comm. Sem., **74**, pp.121-132 (1974)

29) G. Fant：Vocal-tract area and length perturbations, STL-QPSR, **16**(4), pp.1-14（1975）
30) B. H. Story：Technique for 'tuning' vocal tract area functions based on acoustic sensitivity functions, J. Acoust. Soc. Am., **119**(2), pp.715-718（2006）
31) S. Adachi, H. Takemoto, T. Kitamura, P. Mokhtari, and K. Honda：Vocal tract length perturbation and its application to male-female vocal tract shape conversion, J. Acoust. Soc. Am., **121**(6), pp.3874-3885（2007）
32) J. Sundberg：Articulatory interpretation of the 'singing formant', J. Acoust. Soc. Am., **55**(4), pp.838-844（1974）
33) M. Garnier, N. Henrich, J. Smith, and J. Wolfe：Vocal tract adjustment in the high soprano range, J. Acoust. Soc. Am., **127**(6), pp.3771-3780（2010）
34) 竹本浩典：声楽家の声道形状制御：ソプラノの高音域におけるフォルマント同調，日本音響学会誌，**70**(9)，pp.506-511（2014）
35) J. Dang and K. Honda：Acoustic characteristics of the piriform fossa in models and humans, J. Acoust. Soc. Am., **101**(1), pp.456-465（1997）
36) H. Takemoto, S. Adachi, P. Mokhtari, and T. Kitamura：Acoustic interaction between the right and left piriform fossae in generating spectral dips, J. Acoust. Soc. Am., **134**(4), pp.2955-2964（2013）
37) K. Motoki, N. Miki, and N. Nagai：Measurement of sound-pressure distribution in replicas of the oral cavity, J. Acoust. Soc. Am., **92**(5), pp.2577-2585（1992）
38) H. Takemoto, P. Mokhtari, and T. Kitamura：Comparison of vocal tract transfer functions calculated using one-dimensional and three-dimensional acoustic simulation methods, Proceedings of Interspeech 2014, pp.408-412（2014-09）

第7章
水中音のシミュレーション

　水中，特に海洋で深度が浅い海域での音波伝搬は，海域の音響的な構造である音速分布や海底地形などの影響を受けやすく，伝搬経路が複雑になりやすい。海面と海底で多重反射を繰り返した音波は，ほぼ同時刻に受波されることから波形形状も複雑になる。このような状況下においては，FDTD法で波形を推定することが有益である。一方，水中映像取得装置に用いられる音響レンズによる音波の集束に関しても，FDTD法で集束音場を解析すれば，従来の音線理論を用いる方法よりも，より精密な音場を推定できる。本章では，FDTD法を用いて**浅海域**（shallow water）での音波伝搬を解析した例として，アメリカ音響学会提案のベンチマークモデルの解析結果と海底堆積層上部に**遷移層**（transition layer）を有する海域での音波伝搬の解析結果を紹介する。また，音響レンズによる集束音場について，周波数特性，ならびに，角度特性の解析結果を示し，実測データと比較した結果を紹介する。

7.1　海洋内の音波伝搬

　音波伝搬の理論解を求める際には，一様な媒質を仮定する事が一般的である。しかしながら，海洋のような広大な空間は，空間的，および，時間的な変動をもち，一様な媒質とは見なせないため，単純なモデル以外，理論解を求めることができない。また，空間的な音速勾配によって音波は屈折し，音響インピーダンスの違う物体があれば境界面で透過，および，反射する。それらの条件を複合的に有するため，一様な半無限空間での解析に比べて複雑な伝搬の様相を示す。そのような理由から，もっぱら数値解析によって音波伝搬が解析されてきた。海洋内を伝搬する音波は，無論，水の音響的な特性に強く影響を受

けて伝搬する。さらに，境界面となる海底や海面にも影響を強く受ける。海洋における音速は，海水の温度，圧力（深度），塩分濃度によって決定される[1]。太平洋中緯度海域などに代表される**深海域**（deep water）での水温，塩分濃度と音速の**深度特性**（depth profile）の一例を図 7.1 に示す。**海洋表層**（surface layer）は，日照によって水温が上昇するために音速は速い。なお，季節によって日照時間が変化するため，表層の水温は季節に依存する傾向にある。水温は深度が深くなるにつれて徐々に低下するが，低緯度海域では，水深 200 m から 1 000 m 付近で水温が急激に変化する**温度躍層**（thermocline layer）が存在する。また，太平洋のような水深 3 000 m 以深の**深層**（deep layer）においては，水温が 1.5℃ 程度で一定になる。しかし，深度が深くなると水圧が上昇して音速が速くなるため，深度に対する音速の変化は正の勾配をとる。表層は水温のために音速が速く，深層は水圧のために音速が速い。そのため，深海域においては，音速が最小となる音速極小層が形成される。これを**ソーファ**（sound fixing and ranging：**SOFAR**）チャネルと呼ぶ[2]。音速が極小なため，音波を SOFAR チャネルで送波すると，屈折しながらチャネルの軸に沿って伝搬する。

一方，人間の生活圏に近い深度 200 m 以下の浅海域の音速は，水圧の変化が少ないために水温の影響が支配的になる。表層は，深海同様，日照によって温められて水温が上昇する。日照時間や強さは季節によって変動するため，浅海域は季節的な特徴が出やすい。浅海域の典型的な音速プロファイルは，深度

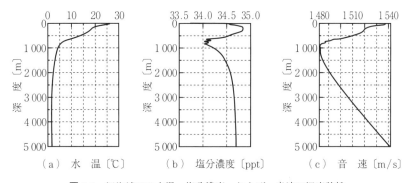

図 7.1　深海域での水温，塩分濃度，および，音速の深度特性

による温度変化が少ないために一定値をとることが多い。

7.1.1 深海域と浅海域の音波伝搬の特徴

深海域，および，浅海域の音波伝搬の特徴をとらえるために，音線法によって得られた海洋における音波の伝搬経路を図7.2に示す。音速プロファイルは，深海域については図7.1のプロファイル，浅海域については音速一定のプロファイルを用いた。深海域においては，SOFARチャネルに音源を設置して水平方向に音波を放射すると，音波は**フェルマーの原理**（Fermat's principle）にしたがって音速の遅い方に屈折するため，SOFARチャネルを軸に遠方まで伝搬する。このとき，海面や海底に到達した音波は，海面と海底で多重反射を繰り返して大きく減衰するために遠距離には到達しない。一方，浅海域での音波は，音速が一定である場合は，海中を直進して直接受波点まで到達する直達波（図（b）中，DS）以外は，海面や海底で多重反射しながら伝搬する。深海と違い，伝搬距離が短いのであまり減衰せず，海中を直進する直接波の後に遅れて反射波が受波される。そのため，浅海域での音波伝搬は，水温特性とともに海面や海底での反射の影響を大きく受ける。海面は，水と空気との境界面となるため，音波はほぼ全反射するが，潮汐（ちょうせき）や波浪などで海面が荒れると散乱を生じる。

また，海底の底質は，音響的には比較的やわらかい**堆積層**（sediment layer）

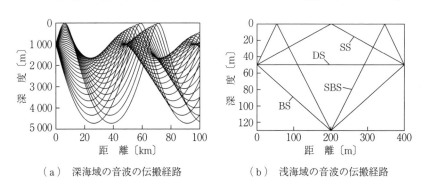

（a） 深海域の音波の伝搬経路 　　　（b） 浅海域の音波の伝搬経路

図7.2　音線法による海洋中の音波伝搬経路図

の底に硬い岩盤層がある構造をしている。そして，海底表層の海底堆積物の粒子間には，間げき媒質として海水が満たされているので，いわゆる**多孔性飽和媒質**（porous saturated medium）と考えられる。すなわち，固体粒子と海水の混合体であるため，その音響特性はきわめて複雑である。この海底堆積物は，固まっている**固結堆積物**（consolidated sediment）と，まだ固まっていない**未固結堆積物**（unconsolidated sediment）の二つに分類される。堆積層は，陸上の**れき**（granule）や**砂**（sand），泥などの岩石片が河川や風によって海上に運ばれたものや，生物の遺骸が海水によって運ばれて海底に堆積し，長い年月をかけて蓄積されたものによって形成されている。特に，浅海域の堆積層は，海や大陸の気候，生物の繁殖など多くの条件が変化するので，地域によってさまざまな様相を呈しており，深海に比べて地域による特色の違いが大きい。そのため，特に浅海域の海洋音波伝搬には，海底の底質の音響的特徴が色濃く反映される。

7.1.2　浅海域の音波伝搬解析

先に述べたように，浅海域での音波伝搬は，海底の底質による影響が強い。また，海底地形にも影響を強く受ける。浅海域において海底深度が変化する伝搬モデルに関する研究は古くから行われてきた。また，数値解析手法に関する研究も数多く報告されている。その音波伝搬の数値解析手法に関する研究において，計算機プログラミングの精度確認のために，いくつかのテストモデル（ベンチマークモデル）が提案されている[3]。ここでは，FDTD法の解析例として，アメリカ音響学会ベンチマークモデルの解析とFDTD法の特徴である伝搬パルス波の可視化結果を示す。まずは基準解との比較として，連続波音場の分布を計算した。解析モデルの形状，ならびに，音響パラメータを図**7.3**に示す。

このモデルの特徴は，音の伝搬方向に沿って海底深度が徐々に浅くなることで，一般的に**くさび形浅海域モデル**（wedge-shape bottom model）と呼ばれる。海洋中にある音源から大陸方向に向かって音を放射した場合を想定してい

178   7. 水中音のシミュレーション

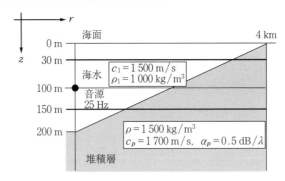

図 7.3 アメリカ音響学会ベンチマークモデル

る。このベンチマークモデルは，実海域での実験を想定した浅海域の特徴的な問題が解析可能な精度を有するかどうか確認することを目的として提案されている。このような海底地形，音速，および，密度などの海洋の音響的構造が伝搬距離方向に沿って変化するモデルは，**距離依存型モデル**（range-dependent model）と呼ばれる。基準解として距離依存型モデルで精度が高いといわれる coupled normal mode 法が文献 3)に示されている。また，受波器深度を 30 m，150 m とした場合の距離方向に対する伝搬損失分布も基準解として与えられている。

空間離散化幅を r 方向，z 方向ともに 1.0 m，時間離散化幅を安定条件より 0.2 ms とした。深度 100 m の点音源から周波数 25 Hz の連続正弦波が放射されていると仮定して伝搬損失を計算した。座標点 (r, z) での伝搬損失 TL は式 (7.1) で算出した。

$$TL = -20 \log_{10} \frac{\bar{p}(r,z)}{p_{\mathrm{ref}}} - 20 \log_{10} \frac{1}{\sqrt{r}} \tag{7.1}$$

ここで，p_{ref} は音源から 1 m の位置での音圧値であり，音源から十分遠方の音場での音圧値が距離の 1/2 乗に反比例するとして，半自由空間における計算結果から外挿して求めた。また，本解析は 2 次元解析であるため，水平方向の拡散の伝搬損失を式 (7.1) の右辺第 2 項として加えた。座標点 (r, z) での音圧の実効値 $\bar{p}(r, z)$ は，連続波を送信して十分定常状態になった段階で，以下

の式 (7.2) を用いて計算した。

$$\bar{p}(r,z) = \sqrt{\frac{1}{T}\int_0^T \{p(t)\}^2 dt} \tag{7.2}$$

ここで，$p(t)$ は座標点 (r,z) で得られた受波の時間波形である。

　FDTD 法による連続波音場解析結果である伝搬損失分布図を図 7.4（a）に示す。図（b）には，基準解として与えられる coupled normal mode 法による解析結果もあわせて示す。解析領域のほぼ全域がよい一致を示している。また，距離 3 km 付近で堆積層に浸透する音波の様子もよく一致し，正しく計算が行われていることが確認された。また，距離約 3.5 km 地点，深度 200 m の堆積層部で低音圧部分が形成されていることや，局所的に音の強弱が形成されていることがわかる。くわしい音場の形成過程は動画を参照されたい（💿 **A_7**.1-1，および，**口絵 7**）。

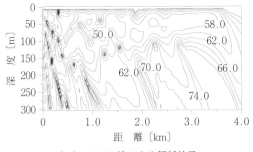

（a） FDTD 法による解析結果

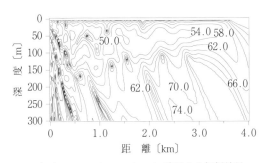

（b） coupled normal mode 法による解析結果

図 7.4 アメリカ音響学会ベンチマークモデルにおける伝搬損失の分布図

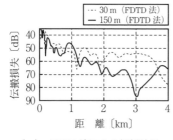 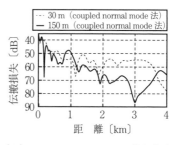

（a） FDTD 法による解析結果　　（b） coupled normal mode 法による解析結果

図 7.5　受波器深度を 30 m, 150 m とした場合の距離方向の伝搬損失分布

つぎに，よりくわしく両者の結果を比較するために，受波器深度を 30 m, 150 m とした場合の距離方向の伝搬損失分布の結果を図 7.5 に示す。図（a）が FDTD 法による解析結果，図（b）が coupled normal mode 法による解析結果である。FDTD 法による結果は，基準解である coupled normal mode 法の結果とほぼ一致しているが，音源近傍で多少の違いが現れている。これは，FDTD 法と coupled normal mode 法で，使用する音源の種類が違うことが原因と考えられる。

深度 30 m の結果では，海水中において直達波と海面・海底で反射した音波が干渉し，伝搬損失はピークとディップを繰り返しながら距離にともない増加している。また，距離 3.3 km 付近では，受波深度が海底下になるため，伝搬損失が急激に増加している。一方，深度 150 m の結果においては，距離 1 km 以降で海底下になるため，ピークとディップを繰り返しながらも伝搬損失が増加するが，3 km 以降では，逆に伝搬損失が減少している。これは，先に述べたように，海水中を進む音波が，海底が浅くなっていく過程で，距離 3 km 頃から堆積層に浸透しはじめるためである。このように，海面での音波の干渉状態を確認するとともに海底下での音場を求められるのも，FDTD 法のような波動理論にもとづく解析手法の利点である。

伝搬パルス波の可視化結果として，パルスが左側の音源から右方向に伝搬する様子を図 7.6 に示す。図の上から順に，時間が進行した際の 2 次元音圧分布

7.1 海洋内の音波伝搬　　181

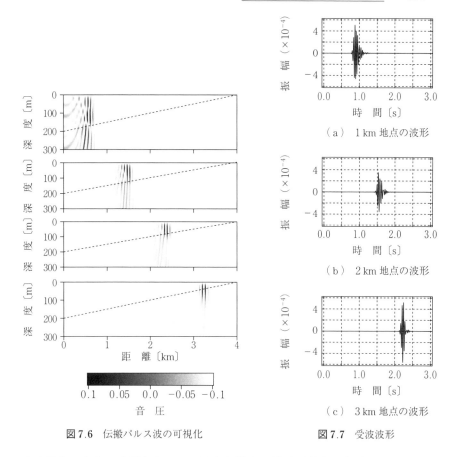

図 7.6　伝搬パルス波の可視化

図 7.7　受波波形

を表示しており，音源からパルス波が伝搬する様子が明瞭に表示されている。また，パルスが海面で反射する様子や堆積層中で音波が減衰していく様子もわかる。さらに，最大振幅となる深度は，海面，海底の反射波による干渉のため，つねに変動していた。くわしい音波伝搬の様子は動画を参照されたい（●**A_7.1-2**）。

図 7.7 に深度 30 m における距離 1, 2, 3 km の受波波形を示す。パルスが海面と堆積層を反射しながら伝搬するために，残響が生じてパルス幅が伸長したり，海底地形がくさび形浅海域モデルであり，かつ，上り勾配であるために，遠距離でも振幅が増加している様子が求められた。

7.1.3 浅海域の未固結海底堆積層と遷移層

多孔性飽和媒質である海底堆積物は，大きく固結堆積物と未固結堆積物の二つに分類される。そのうちの未固結海底堆積物を分類する方法はいくつかあるが，よく用いられている分類方法は海底堆積物の粒度組成によるものであり，現在，Udden，および，Wenworth による分類法がよく用いられている[4]。粒径を 1/256 mm 以下，1/16 mm 以下，2 mm 以下，2 mm 以上を境にして細かい方から，**粘土**（clay），**シルト**（silt），砂，れきと呼ばれている。海底堆積物は粒子の集合体であるため，粒子の径はある範囲に分布するが，その集合を代表する値として，平均粒径を用いて分類する。無論，それぞれの堆積物によって音響特性は違っており，粒径が小さいほど密な状態となり，結果的に密度・音速が増加する。

浅海域における音波伝搬において，海底の影響が大きいことは先に述べたが，音波の反射はインピーダンスが変化する海水と海底堆積物との境界で起きているため，その境界での状態が必然的に重要となる。興味深いことに，未固結堆積物の海底表層付近では，密度や堆積物に含まれる流体の割合である間げき率が深度によって変化する層が存在することが確認されている。その層は海底表層遷移層[5)~7)]と呼ばれている。このように，表層が変化する境界からの反射特性は，海底堆積層を一様と考えた場合の特性とは大きく異なると考えられる。

7.1.4 遷移層を有する浅海音波伝搬

実際に遷移層が音波伝搬に与える影響を確認するために，浅海域をモデル化して FDTD 法を用いた 2 次元音波伝搬解析を行った。遷移層を有する浅海域での音波伝搬解析モデルを**図 7.8** に示す。解析領域は，浅海近距離を想定して伝搬距離を 400 m，海底までの深度を 130 m，遷移層以下の堆積層の厚さを 30 m とした。海面以外は外乱となる計算端面での余計な反射波を抑制するために吸収層で囲み，最外周に Higdon の 2 次吸収境界条件（1.2.4 項参照）を適用した。海水の音響パラメータは，一般的な値である音速 $c_1 = 1\,500$ 〔m/s〕，

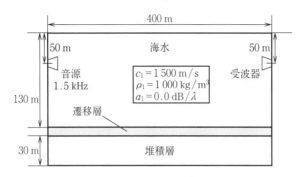

図7.8 遷移層を有する浅海域での音波伝搬解析モデル

表7.1 堆積層の音響パラメータ

	音速 c_2 [m/s]	密度 ρ_2 [kg/m³]	減衰係数 α_2 [dB/λ]
堆積層A	1 600	1 200	0.5
堆積層B	1 700	1 500	0.5

密度 $\rho_1 = 1\,000$ [kg/m³],吸収係数 $\alpha_1 = 0.0$ [dB/λ] を用いた。**表7.1**に遷移層以下の海底堆積層の音響パラメータを示す。この表に示す2種類の堆積層の条件で計算を行った。堆積層表面の遷移層モデルを**図7.9**に示す。送波パルス波の中心周波数は1.5 kHz,パルス長は7波長分にガウシアン状の重み付けを行った。

木村らによる報告では,水と堆積物が混ざり合う堆積層表面の遷移層での音速・密度の深度分布は,実測データより推定した指数関数によって近似されて

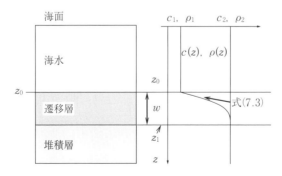

図7.9 遷移層と深度方向プロファイルの模式図

いる[7]。実海域への応用を考えると，実測データにもとづく指数関数プロファイルで近似することは妥当であると考えられる。さらに，海水—遷移層，遷移層—堆積層の各境界での音速が連続になるように式を修正した遷移層内の音速プロファイルを式 (7.3) に示す。

$$c(z) = c_1 \times (z - z_0 + 1)^B \tag{7.3}$$

ただし，$B = \log(c_2/c_1)/\log(w+1)$，$z_0$ は海水と遷移層の境界深度，w は遷移層の厚さである。密度も同様に式 (7.3) と同じ形で表されるプロファイルを用いた。図 7.9 は，この深度プロファイルを模式的に表している。

7.1.5 遷移層を有する浅海域での受波パルス波の特徴

図 7.2 (b) で示したように音速が一定の海域では，音源から受波点に直接到達する直接波と，海面と海底による反射波がある。直接波（図 7.2 (b) 中，DS）は，最も伝搬経路長が短くなるので最初に受波される。音源の位置が海水中の中間の深度であれば，海面反射波（図 7.2 (b) 中，SS）と海底反射波（図 7.2 (b) 中，BS）は同時刻に受波されるが，音源の位置が中間深度より浅い位置にあれば，伝搬経路長から，直接波の後には海面反射波，その後，海底反射波が受波される。それらを模式的に表したのが**図 7.10** である。海底の底質が変化すると海底反射波が影響を受けるが，最も顕著に現れる影響は振幅変動であり，この振幅変動から逆に海底底質を推定することができる。なお，図 7.2 (b) 中の SBS は，海面—海底—海面と，海面で 2 回，海底で 1 回反射し

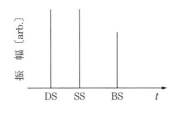

(a) 到達インパルス群（音線計算）

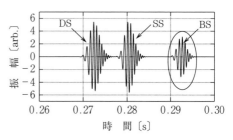

(b) 受波パルス波形

図 7.10 浅海域でのパルス波の特徴

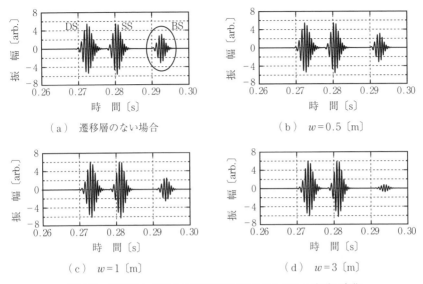

図7.11 堆積層Aの場合の遷移層の厚さによるパルス波形の変化

たパルス波で，図7.10で示された時刻以降に受波される。

図7.11に堆積層Aの場合における，遷移層の厚さによるパルス波形の変化を示す。図（a）が遷移層のない場合，図（b），（c），（d）が，それぞれ遷移層の厚さが0.5 m，1 m，3 mの場合である。前述のように，直接波の後に海面反射波が受波され，その後に海底反射波が受波される。直接波と海面反射波は，当然ながら遷移層が存在しても振幅変動がない。図（b），（c），（d）を見ると，遷移層が厚くなるにしたがって海底反射波の振幅が減少している。

図7.12は，堆積層Bの場合の結果である。堆積層Bの場合は，遷移層の厚さが1 mとなっていても海底反射波の振幅が大きく変化していない。さらに，厚さが3 mになると振幅が増加している。これは，堆積層Bの場合には海底音速が速く，遷移層が薄い条件下では遷移層内での音速が急激に変化するためと考えられる。以上より，遷移層の厚さの変化が受波パルス波の振幅に影響することがわかった。

FDTD法の海洋内音波伝搬の応用例として，浅海域モデルであるアメリカ音響学会ベンチマークモデルのパルス波解析の結果を示した。また，最近研究が

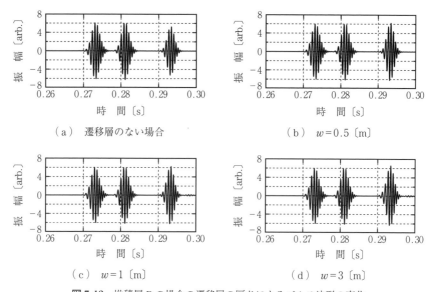

図7.12 堆積層Bの場合の遷移層の厚さによるパルス波形の変化

進んでいる浅海域の遷移層が伝搬パルス波に与える影響を求めた。一昔前では波動的な解析が困難であった海洋音波伝搬も，パソコン上で手軽に解析できるようになってきており，さまざまな問題に適用されている。時間領域での波動的解析手法を用いることで，現実の海洋内の伝搬パルス波を推定することが可能となった。これは，海洋内部の伝搬の様子をよりくわしく調べることにつながる。海洋の微細な構造変化や現象が音の伝搬にどのような影響を与えるかを定量的に把握することができれば，海洋音響学の発展に寄与できるものと考える。

7.2 音響レンズ

湾岸部の警備，港湾構造物の調査や海底探査などを行う際に水中画像を取得することは，作業者の安全面と監視範囲拡大などの性能面の双方に有益である。しかし，水中においては，光や電磁波の減衰が激しいために一般的な水中ビデオカメラなどの画像取得装置による遠距離の撮像は難しく，また，工事の

際に巻き上がる砂塵や濁水中では水中画像を取得することが困難である。これに対して超音波は，水中での減衰が小さく遠距離まで伝搬する。そのため，水中物体を音によって可視化する映像取得装置の研究が熱心に行われている[8]〜[10]。音響レンズは，映像取得装置の受信装置に組み込むことによって，信号の利得を向上させる装置である。音響レンズを用いることによって，映像装置の小型化や低電力化，そして，リアルタイムでの画像取得が可能となる。多くの利便性がある音響レンズを用いた水中画像取得装置は，音響レンズの性能が装置全体の性能を決定するといってよく，装置の設計のためには，事前にレンズの音響特性を十分に把握する必要がある。

音響レンズは，媒質の境界面での屈折を利用して波動を集束させる装置である。**図 7.13** に示すように，一般的な光学レンズの形状は，レンズを構成する材料中の波動伝搬速度が周囲媒質中の伝搬速度より遅いために凸型になる。音響レンズの場合は，固体であるレンズを構成する材料中の音速が周囲媒質である水中の音速より速いため，レンズ形状は凹型となる。この例でもわかるように，レンズは使用する材料によって形状がある程度決定される装置なので，その構成媒質中の音速などの物理パラメータが重要な要素となる。水中で用いられる音響レンズの材料には，アクリルがよく使用されている。この理由としては，アクリル中の音速がおおよそ 2 700 m/s 弱とほかの金属固体中の音速より遅く，さらに通過する際の減衰が少ないこと，また，ある程度の**剛性**（stiffness）があり，高水圧化となる水中でも形状が保持できること，レンズ曲面の作成の加工がしやすいことなどが挙げられる。ただし，アクリルにはさまざまな種類

c_a：空気中の速度
c_m：材料中の速度
（a） 光学レンズ

c_0：水中の速度
c_m：材料中の速度
（b） 音響レンズ

図 7.13 光学ならびに音響レンズによる波動の集束

が存在するので,レンズ製作の際には,文献値だけではなく,使用材料の音響パラメータをあらかじめ計測してから設計しなければならない。

7.2.1 音響レンズの設計と形状・材質

音響レンズに限らず,一般のレンズの設計は,主として光線(音線)理論により設計される。しかしながら,光学レンズに比べて音響レンズのサイズは波長に対して大きいために,光線理論をそのまま適用することが難しい。そこで,波動理論を用いたレンズの集束音場解析を行ってレンズ特性を把握した。

FDTD法は比較的精度が高く,時間領域で解析が可能な波動論的解析手法である。また,時間領域解析であるために,バースト波を用いた試作レンズによる音場測定の結果と比較しやすい。実際の海中での使用もバースト波を送波するため,実用面の検討を行うことも可能である。さらに,FDTD法を音響レンズの集束場解析に用いる利点として,音源の条件に加えて設計やレンズのモデル化が容易である,減衰や反射を考慮することができる,波動理論にもとづいているので屈折や回折の影響も考慮できる,といったことが挙げられる。水中画像取得装置用音響レンズでは,レンズの基本性能として焦点位置やビーム幅,焦点位置付近での音圧分布を求める必要があるため,FDTD法を音響レンズの集束場解析に用いることは有効である。

レンズ形状パラメータを図7.14に示す。第1面の有効径は150 mmであり,レンズ前面第2面と後面第3面の曲面は以下の**非球面方程式**(aspheric equation)で表される。

$$z_2(x) = \frac{x^2/(-364.6)}{1+\sqrt{1-(1+(-16.00))x^2/(-364.6)^2}} + (-2.052 \times 10^{-8})x^4 \tag{7.4}$$

$$z_3(x) = \frac{x^2/(84.92)}{1+\sqrt{1-(1+(-0.1030))x^2/(84.92)^2}} + (1.927 \times 10^{-8})x^4 \tag{7.5}$$

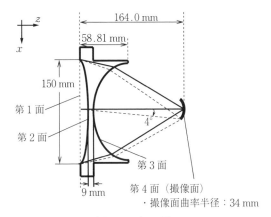

図 7.14　音響レンズの形状パラメータ

レンズの基本形は加工面などの簡易さから球面形状ではあるが，球面形状で開口径が大きい場合などには，中心軸から離れた音線の集束点がずれる**球面収差**（spherical aberration）[11] を生じる。また，音波がレンズに対して斜めに入射すると結像面に焦点が集まらない**コマ収差**（comatic aberration）[11] を生じる。そこで，レンズ面を非球面化することで各種の収差を軽減することを考える。レンズの材質は**アクリル**（polymethyl methacrylate：PMMA）であり，実際の材料として三菱レーヨン社製アクリライト S を用いた。測定の結果，同製品の音響的屈折率は，水温 18℃ で 0.532 となった[12]。密度は 1 170 kg/m^3 であった。得られた屈折率と非球面方程式から音線理論で得られたレンズ後部の焦点距離は 164 mm となった。なお，レンズの上下にある突起部分は，レンズを固定するホルダーとの接合部分であると同時に，レンズ外側に屈折した音波がレンズの第 3 面から後方の音場に再放射されないように，音を外部に逃がすための工夫である。

7.2.2　音響レンズの集束音場解析

FDTD 法を用いれば，音響レンズの集束音場を比較的容易に解析できるが，それでも種々の工夫が必要である。解析においては，試作した音響レンズの測定結果と比較するために，できるだけ実測の条件を再現するようモデル化を行

う必要がある.しかし,実測とまったく同じ条件では,解析時間が長時間になるため不要な部分はできるだけ省くよう考慮したシミュレーションを行わなければならない.

シミュレーションとの対比のために実施した計測の条件を下記に示す.音場計測は,縦横3.0m,深さ1.0mの室内水槽で行い,距離方向をz,深度方向をy,方位方向をxとした.なるべく平面波に近い条件の音波がレンズに入射することが望ましいので,送波器は遠方に設置し,レンズからの距離を1.29mとした.周波数特性を得るために,送波周波数の中心周波数を0.5,0.7,1.0MHzの3種類に変化させた.さらに,角度特性を得るため,音響レンズを回転ステージに取り付けて,角度を0°,4°,8°に変化させて測定を行った.

FDTD法による音響レンズの集束音場の解析モデルを図7.15に示す.レンズのモデル設定や音源からの距離を実測通りにすると,音源からレンズに到達するまでの水中での伝搬距離が非常に長いため,このままでは必要なメモリ量と計算時間が増加する.そこで,送波器とレンズ間が一様な媒質であることから,実際にレンズに入射する前の音場を測定し,簡単な仮定のもとでレンズに入射する音波を推定するために**仮想音源**(virtual sound source)を用いた[13].仮想音源で実際に入射する音場を再現することができれば,レンズ入射前の計算となる図の太線で囲まれた領域での伝搬計算を省略することができる.仮想音源は以下のようにして設定した.

1) 音響レンズ手前の距離Dの地点を先頭に,送波器から等距離の位置に

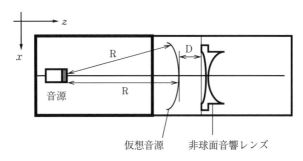

図7.15 仮想音源を用いたFDTD法による音響レンズの集束音場解析

点音源を球面状に配置する。

2) 解析時に,事前に実測したレンズ手前の受波波形を仮想音源地点の音圧波形として点音源に与える。

以上の手順によって,音響レンズに入射する音波が実測条件とほぼ同等となる。これにより,音源から音響レンズ入射前の計算を省略することができ,大幅に計算メモリと計算時間を省略できる。本研究では $D=40$ 〔mm〕として音場の測定を行いシミュレーションに反映させた。

7.2.3 音響レンズの集束音場の周波数特性

音響レンズの集束特性を把握するうえで周波数特性を得ることは重要である。レンズの収差の一つに**色収差**(chromatic aberration)[11]があるが,これは光学分野でいうところの周波数の違いによる集束特性の変化であり,媒質の分散特性によって生じる。音響レンズに使用するアクリルは,一般的に数MHz帯域では分散特性を有していないが,それをレンズ特性として確認し,データを提示することは有益である。また,周波数の違いによって集束音場のビーム幅が大きく変わるため,レンズの基礎特性として周波数による変化を把握することは重要である。さらに,音響レンズを使用する予定の水中映像取得装置は,**反転位相板**(inverse phase plate)[14]~[16]を用いた送波器によって構成されており,周波数を掃引した信号を送波器に印加して超音波ビームを走査し,その反射波を音響レンズにて受信するため,音響レンズの周波数特性を得ることが必要である。

1.0 MHz における z-x 平面の焦点域での FDTD 法によるシミュレーション結果,ならびに,測定結果を**図 7.16** に示す。各点の音圧値は,実験値との比較のために受波波形の最大値で示した。さらに,すべての結果を焦点での最大値で基準化した。シミュレーション結果と実験結果は,2次元音場分布においてほぼ一致した。焦点距離もほぼ同じで約 180 mm であり,音線理論による設計値である 164 mm に対していくぶん遠距離になった。これは,入射波が完全に平面波でなく,球面波がレンズに入射したため,焦点距離が伸びたものと考

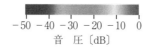

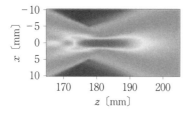
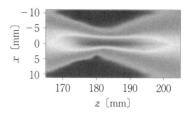

（a）1.0 MHz におけるシミュレーション結果　（b）1.0 MHz における実験結果

図 7.16 1.0 MHz における z-x 平面の音圧分布の FDTD 法によるシミュレーション結果，および，測定結果

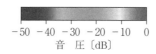

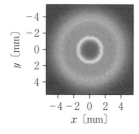
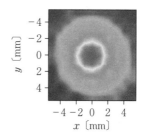

（a）1.0 MHz におけるシミュレーション結果　（b）1.0 MHz における実験結果

図 7.17 1.0 MHz における x-y 平面の音圧分布の FDTD 法によるシミュレーション結果，および，測定結果

えられる。1.0 MHz における焦点位置での x-y 平面（音軸横断面）音圧分布の FDTD 法によるシミュレーション結果，ならびに，測定結果を図 7.17 に示す。表示範囲は両方向とも ±5 mm とした。シミュレーション結果と実験結果でほぼ同一の結果が得られており，シミュレーション手法の有効性が確認できた。

集束音場特性の周波数特性を確認するため，レンズ中心軸上，ならびに，焦点距離での方位方向 x の音圧分布をそれぞれ図 7.18 と図 7.19 に示す。

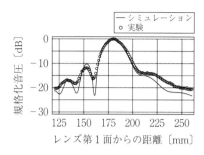
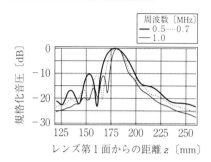

(a) 0.5 MHz における実験と　　　(b) 0.5, 0.7, 1.0 MHz における
　　シミュレーション結果　　　　　　シミュレーション結果

図 7.18 レンズ中心軸上の音圧分布の周波数特性

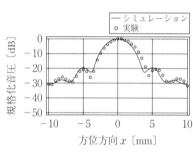
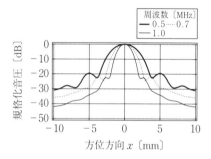

(a) 0.5 MHz における実験と　　　(b) 0.5, 0.7, 1.0 MHz における
　　シミュレーション結果　　　　　　シミュレーション結果

図 7.19 各周波数の焦点位置における方位方向の音圧分布の周波数特性

図 7.18 (a) は，周波数 0.5 MHz 時におけるレンズ中心軸上の音圧分布の FDTD 法によるシミュレーション結果と実測結果の比較図である．図 (a) を見ると，集束音場の特性として，音源から焦点に向かって極大と極小を繰り返してから焦点に達し，その後，ゆるやかに減少する結果が実験とシミュレーションともに得られた．そして，極大値と極小値を示すレンズ第 1 面からの距離も実験とシミュレーションでほぼ一致した．焦点以降の音圧値は，シミュレーション結果と実験結果でやや違いが見られた．各周波数のシミュレーション結果をまとめた図 (b) を見ると，周波数によって焦点距離はほぼ変わらないが，距離方向の集束域の幅がせまくなることが確認できた．

表7.2 音響レンズの周波数特性

(a) 周波数と焦点距離の関係

	測定結果〔mm〕	シミュレーション結果〔mm〕
0.5 MHz	182.5	181.0
0.7 MHz	183.0	182.5
1.0 MHz	184.0	184.0

(b) 周波数と−3 dBビーム幅の関係

	測定結果〔mm〕	シミュレーション結果〔mm〕
0.5 MHz	3.10	3.14
0.7 MHz	2.60	2.30
1.0 MHz	2.00	1.70

図7.19(a)は0.5 MHz時における焦点距離での音圧分布のFDTD法によるシミュレーション結果と実測結果の比較図である。図(a)を見ると，中心軸上分布と同じようにシミュレーション結果と実験結果はよく一致した。**主極大**(main lobe)以外にも**副極大**(side lobe)の振幅や位置もよい一致が得られた。各周波数のシミュレーション結果をまとめた図(b)から，周波数の上昇によって横断方向のビーム幅がせまくなることが確認できた。**表7.2**に周波数と焦点距離，および，横断方向−3 dBビーム幅の関係をまとめた。シミュレーション結果と実験結果はよく一致した。−3 dBビーム幅におけるシミュレーション結果と実験結果の差は0.3 mm程度の差しかなく，波長以下の精度で実測と一致するシミュレーション結果が得られている。焦点距離は，音線理論による設計値である164 mmに対して，シミュレーション結果と実験結果は181〜184 mmとなっており，設計値に対して差が生じている。これは，入射波が完全な平面波ではないことが原因であるが，それと同時に，音響レンズの設計において，FDTD法のような回折現象などが考慮できる波動理論にもとづいた音場シミュレーションであれば，実測データと一致するデータが得られるため，より正確な音響レンズの設計データが得られることを示している。

7.2.4　音響レンズの集束音場の入射角度特性

音響レンズを水中映像取得装置に利用するには，受波装置となる受信アレイの位置を予測することが必要となる。これは，音波がレンズに対して斜めに入射すると，コマ収差により焦点位置が垂直入射の場合の焦点から斜め方向に移

7.2 音響レンズ

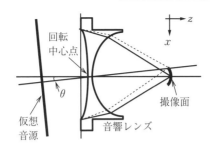

図7.20 音響レンズの集束音場の入射角度特性の解析モデル図

動して,結像面が曲面となるためである.これを**像面湾曲**(field curvature)と呼ぶ.アレイをあらかじめ結像位置に設置すれば像面湾曲を防ぐことができるため,事前に音響レンズの集束音場のシミュレーションが必要となる.解析モデル図を**図7.20**に示す.入射角度特性を得るため,使用周波数には0.5 MHzを採用した.入射角度は,測定に合わせて0°,4°,8°まで4°刻みで解析を行った.図のようにレンズの中心を原点として音源を回転させて角度を付けた.この場合の仮想音源は,球面を形成させずに測定した受波波形に時間差を付けたものとし,それを用いて音場を再現している.

レンズへの音波の入射角度を変化させる方法として,実測ではレンズを回転させ,シミュレーションでは音源を回転させている.シミュレーションでレンズを回転させない理由は,FDTD法では解析領域を直方体のセルで離散化するためである.つまり,レンズのモデルを回転させることでセル配置が回転角度ごとに異なり,結果にも差異が現れる可能性があるため,それを避ける処理である(1.2.3項参照).

図7.21に各入射角度における z-x 平面の2次元音圧分布のシミュレーション結果を示す.この図は,実測結果との比較のために座標変換を行い,結果を回転させている.図を見ると,角度が変化するにつれて焦点での音圧分布が上下に非対称となり,距離190 mm以降の音圧の強い部分が x 軸負側に広がっていくことが見てとれる.

図7.22に,焦点域での入射角度変化による -3 dB範囲の変化をまとめた図

196   7. 水中音のシミュレーション

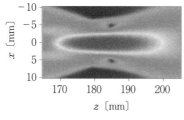

(a) 入射角 0°におけるシミュレーション結果

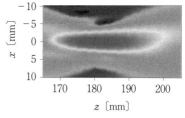

(b) 入射角 4°におけるシミュレーション結果

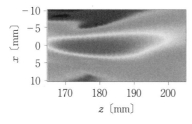

(c) 入射角 8°におけるシミュレーション結果

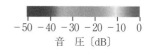

図 7.21　各入射角度における z-x 平面の音圧分布シミュレーション結果（周波数 0.5 MHz）

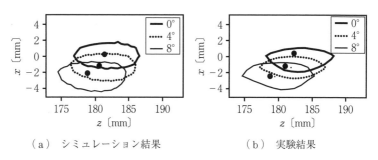

(a) シミュレーション結果　　　　　(b) 実験結果

図 7.22　入射角度変化による焦点域における -3 dB 範囲の変化

を示す。表示範囲は軸方向が 165 〜 205 mm，方位方向が音源中心軸に対して -5 〜 5 mm の範囲である。図は各入射角度時の最大音圧で規格化した。図中の枠は最大音圧から -3 dB の範囲を示している。図中の点は，各入射角度における焦点位置を示している。図では焦点位置の変化をとらえるため，実験結果を座標変換している。図を見ると，入射角度が大きくなるにつれて，焦点位置は軸方向においてレンズに近づき，方位方向において x 軸負側に移動す

る様子が見てとれる。設計段階の予測通りに焦点が曲面上を移動するという結果が得られたが，レンズ設計値である曲率半径34 mm とは一致しなかった。また，−3 dB の範囲も焦点の移動に合わせて移動しており，角度が大きくなるほど方位方向の幅が広くなっている。−3 dB 範囲の形状は，シミュレーション結果に対して実験結果の方位方向の幅がややせまく，距離方向が広い結果となっているが，定性的には入射角度に対する変化の傾向は一致している。また，焦点の位置の変化は，実測とシミュレーション結果では8°の場合を除いて，ほぼ一致した結果が得られた。

表7.3に入射角度変化による焦点位置の変化を示す。表内の (x, z) はそれぞれ，z はレンズ開口面からの距離，x は角度0°のときの焦点位置を基準とした音源の中心軸からの距離である。表7.3を見ても，実測と解析で非常に近い結果が得られたことが確認できた。

ここでは，水中映像取得装置に用いられる音響レンズの基礎特性をFDTD法により求めた。周波数特性を求めた結果，シミュレーション結果と実測結果は，2次元音圧分布，中心軸，横断方向の音圧分布，それぞれがよく一致した。また，焦点距離は設計値に対してより遠方になっており，音線理論によるレンズ設計に対するFDTD法の優位性を示す結果となった。入射角度特性に関してもシミュレーション結果と実測結果はよく一致した。入射角度8°での焦点位置の差は，距離方向で2 mm 程度存在するが，波長以下の誤差であるので，ほぼ一致しているといえる。また，焦点位置の移動軌跡から，設計値の撮像面とは異なる撮像面になることがとらえられた。

よって，あらかじめFDTD法によって音響レンズの集束音場特性を予測す

表7.3 入射角度変化による焦点位置の変化

入射角度	測定結果〔mm〕	シミュレーション結果〔mm〕
0°	(182.5, 0.0)	(181.8, 0.0)
4°	(180.5, 1.5)	(180.6, 1.6)
8°	(175.5, 2.5)	(177.2, 2.6)

ることは，水中映像取得装置を設計する際に有効であることが示された。特に受波アレイの位置決めは装置性能向上のためには重要であり，音響レンズの焦点距離や撮像面を FDTD 法で正確に推定できることは，音響レンズの設計上大きな利点となる。以上より，FDTD 法のような波動理論にもとづいた音場シミュレーションは，音響レンズ設計に有用なツールであるといえる。

引用・参考文献

1) 海洋音響学会：海洋音響の基礎と応用　7章，成山堂出版，p.71（2004）
2) M. Ewing and J. L. Worzel：Long-Range Sound Transmission, Geol. Soc. Am. Memo, **27**（1948）
3) J. T. Goh and H. Schmidt：A hybrid coupled wave-number integration approach to range-dependent seismoacoustic modeling, J. Acoust. Soc. Am., **100**(3), pp.1409-1420（1996）
4) C. K. Wentworth：A Scale of Grade and Class Terms for Clastic Sediments, J. Geology, **30**(5), pp.377-392（1922）
5) 木村正雄：海底音響学の基礎―未固結堆積物―，海洋音響学会第9回技術講習会テキスト，pp.1-2（2000）
6) R. Carbo：Wave reflection from a transitional layer between the seawater and the bottom, J. Acoust. Soc. Am., **101**(1), pp.227-232（1997）
7) 石田和也，木村正雄：海底表層遷移層からの音波反射に関する検討，電子情報通信学会技術報告，US2005-92, pp.57-62（2005-11）
8) G. Kossoff, D. E. Robinson, and W. J. Garrett：Ultrasonic Two-Dimensional Visualization Techniques, IEEE Trans. Sonics Ultrason., **12**, pp.31-36（1965）
9) Y. Tannaka and T. Koshikawa：Solid-Liquid Compound Hydroacoustic Lens of Low Aberration, J. Acoust. Soc. Am., **53**, pp.590-595（1973）
10) K. Mori, H. Ogasawara, T. Nakamura, T. Tsuchiya, and N. Endoh：Extraction of Target Scatterings from Received Transients on Target Detection Trial of Ambient Noise Imaging with Acoustic Lens, Jpn. J. Appl. Phys., **51**(7B), 07GG10（2012）
11) 永田信一：図解　レンズが分かる本　4章，日本実業出版，pp.82-95（2002）
12) 土屋健伸，遠藤信行，松本さゆり，森　和義：シングアラウンド法を用いた音響レンズ材の音速の温度依存性の測定，海洋音響学会誌，**38**(4), pp.195-202（2011）

13) M. Greenspan and C. E. Tschegg：Tables of the speed of sound in water, J. Acoust. Soc. Am., **31**, pp.75-76（1959）
14) 松本さゆり，内藤史貴，進 雄一，土屋健伸，遠藤信行，武山芸英：超音波式水中映像取得装置に用いる非球面音響レンズの収束音場の周波数及び入射角度特性，電子情報通信学会技術研究報告 US 超音波，**108**(410), pp.43-48（2009）
15) 片倉景義，淡中泰明，小林正治，越川常治：周波数掃引による超音波水中映像装置，日本音響学会誌，**31**, pp.716-724（1975）
16) 松本さゆり，片倉景義，吉住夏輝，西平 健，南利光彦，武山芸英，鈴木紀慶，野口孝俊：三次元水中映像取得装置の開発，海洋音響学会誌，**37**(1), pp.13-24（2010）

第8章
楽器音のシミュレーション

　本章では，FDTD法を用い，楽器音を対象としたシミュレーションを行った結果を紹介する。楽器には**管楽器**（wind instrument），弦楽器，打楽器，**鍵盤楽器**（keyboard instrument）など，さまざまな種類が存在するが，空気の流体的なふるまいによって音を発したり，弦をこすることで振動を生じさせたりする物理現象は本書の域を超えているため，ここでは触れず，打楽器のみを取り扱うこととする。8.1節では**木琴**（xylophone）について，8.2節では**梵鐘**（temple bell）について，可聴化，および，可視化の結果を紹介する。

8.1　木　　　琴

　近年，楽器の物理モデルを構築し，その数値モデルを考えて固体の振動や空気の流れなどを直接数値解析することで，その楽器の発生する音を予測できるようになった[1]。ここでは，木琴の解析にFDTD法を適用した例を紹介する。木琴は，長さの異なる木製の音板をピアノの鍵盤と同様に並べ，ばちで叩いて音を出す打楽器である。

　木琴の音板は細長い構造をしているため，3次元モデルを直接適用するのではなく，せん断変形の影響を考慮できる1次元モデルである**チモシェンコ梁理論**（Timoshenko's beam theory）にもとづいた解析を行った。梁の曲げ波を時間領域で解析する場合は，系の運動を記述する偏微分方程式内の空間微分の次数が時間微分の次数より高くなる。その場合，**時間積分**（time integration）を

行うときに数値的な安定性に気を付ける必要がある。そこで**陰的**（implicit）な時間積分法を適用することで安定性を確保した。

より現実の音板に近い物理モデルを構築するために，粘弾性などによる振動の**減衰**（damping）や支持バネの影響を考慮した。実際，振動の時間波形を用いて現実的な音を再現するには，減衰の効果は重要である。音板の素材は木であるため，ヤング率などの弾性係数に異方性を考慮してシミュレーションを行うことで，実測値と良好に一致する結果が得られた。また，FDTD法で計算した振動時間波形を境界要素法の境界条件として用いて，放射音の可聴化を行った。その結果，同じ振動分布でも評価点の位置によって，周波数特性が異なることを示した。

8.1.1 振動解析モデル

ここでは1次元モデルによる音板の振動解析について考える[2]～[5]。高次の振動モードの周波数が**基音**（fundamental sound）の整数倍に近くなるように，また，そのエネルギー比を制御するために，音板は長軸方向の中央部が薄くなる形状となっている。その影響を考慮できるように，厚みを軸方向の関数として表現した。また，音板を叩く位置が中心軸上からずれることによって，**ねじれ振動**（tortuous vibration）も励起されるので，曲げ振動とねじれ振動の両方のモードの影響を取り扱えるようにした。曲げ振動において，せん断変形の影響も考慮できるように，チモシェンコ梁理論を応用して基礎方程式を導いた[6],[7]。質量密度をρ，断面積をA，ヤング率をE，せん断弾性係数をGとし，**図8.1**に示すようにx, y, z軸を設定した。y軸，z軸方向の曲げ振動による変位をv, w，また，チモシェンコ梁理論で現れる各方向まわりの回転角をφ_y, φ_zとし，それに対応するチモシェンコ係数をκ_y, κ_zとした。木琴の音板は断面が矩形なので，双方ともチモシェンコ係数は0.833を用いることにした。また，ねじれ振動の変数はθとした。そのほかの形状に関するパラメータとして，断面2次モーメントをI_y, I_z，ねじれ定数をJ，せん断中心の重心に

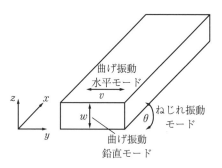

図 8.1 1次元チモシェンコ梁理論モデル

対する位置を y_s, z_s で表すこととした。このときの支配式を式 (8.1) 〜 (8.5) に示す。

$$\frac{\partial}{\partial x}\left\{-AG\kappa_y\left(1+\eta\frac{\partial}{\partial t}\right)\left(\frac{\partial v}{\partial x}-\varphi_y\right)\right\}+\rho A\frac{\partial^2 v}{\partial t^2}+\rho A\gamma_1\frac{\partial v}{\partial t}-q_y+\rho Az_s\frac{\partial^2\theta}{\partial t^2}$$
$$=f_y \tag{8.1}$$

$$AG\kappa_y\left(1+\eta\frac{\partial}{\partial t}\right)\left(\frac{\partial v}{\partial x}-\varphi_y\right)+\frac{\partial}{\partial y}\left\{EI_y\left(1+\eta\frac{\partial}{\partial t}\right)\frac{\partial \varphi_y}{\partial y}\right\}$$
$$=\rho I_y\frac{\partial^2 \varphi_y}{\partial t^2} \tag{8.2}$$

$$\frac{\partial}{\partial x}\left\{-AG\kappa_z\left(1+\eta\frac{\partial}{\partial t}\right)\left(\frac{\partial w}{\partial x}-\varphi_z\right)\right\}+\rho A\frac{\partial^2 w}{\partial t^2}+\rho A\gamma_2\frac{\partial w}{\partial t}-q_z-\rho Ay_s\frac{\partial^2\theta}{\partial t^2}$$
$$=f_z \tag{8.3}$$

$$AG\kappa_z\left(1+\eta\frac{\partial}{\partial t}\right)\left(\frac{\partial w}{\partial x}-\varphi_z\right)+\frac{\partial}{\partial x}\left\{EI_z\left(1+\eta\frac{\partial}{\partial t}\right)\frac{\partial \varphi_z}{\partial x}\right\}$$
$$=\rho I_z\frac{\partial^2 \varphi_z}{\partial t^2} \tag{8.4}$$

$$\frac{\partial}{\partial x}\left\{GJ\left(1+\eta\frac{\partial}{\partial t}\right)\frac{\partial \theta}{\partial x}\right\}+m_t+m_{st}-\rho I_s\frac{\partial^2\theta}{\partial t^2}-\rho I_s\gamma_3\frac{\partial \theta}{\partial t}-\rho Az_s\frac{\partial^2 v}{\partial t^2}+\rho Ay_s\frac{\partial^2 w}{\partial t^2}$$
$$=0 \tag{8.5}$$

方程式中の η と $\gamma_{1,2,3}$ は粘弾性と流体力学的減衰に関する係数,m_t は単位長さ当りの外力トルク,m_{st} は音板を支持するひも位置に想定した支持バネから受ける単位長さ当りのトルクである。また,q_y,q_z は支持バネから受ける各方向への力である。式 (8.1),(8.2) は水平方向の振動モード,式 (8.3),(8.4) は垂直方向の振動モード,式 (8.5) はねじれ振動モードの方程式である。せん断中心の位置が重心とずれる場合は各モードが連成することになる。これらの連立偏微分方程式を数値的に解くことで音板の振動を求めることにした。

チモシェンコ梁理論で導出される偏微分方程式は,曲げ変位に対しては,実質的には空間微分が 4 階で時間微分が 2 階となる。その場合,FDTD 法において時間積分を行う際の安定性の確保が必要になるため,時間積分に陰解法を適用した。時間積分に対する陰解法を用いた差分化は,以下に示す手順で実施した。まず,式 (8.1)〜(8.5) の連立偏微分方程式を空間微分のみを含む項 L,時間の 1 階微分と空間微分を含む項 D,時間微分のみを含む項 A に分解すると,

$$L(\varphi_y, v, \varphi_z, w, \theta; t) + D(\varphi_y, v, \varphi_z, w, \theta; t) = A(\varphi_y, v, \varphi_z, w, \theta; t) \quad (8.6)$$

となる。その後,空間微分の項 L などを更新後の時刻 $t+\Delta t$ のときの値も用いて差分化する。時刻 t のときの値を時間ステップ n の添字を用いて表現し,同様に,時刻 $t\pm\Delta t$ についても添字 $n\pm1$ で表現する。また,引き数は省略し,各時間ステップの値を L^n,D^n などと表現する。陰的な積分を実施するよう,パラメータ α を導入して,式 (8.6) の連立偏微分方程式を

$$\alpha L^{n+1} + (1-2\alpha)L^n + \alpha L^{n-1} + D^n = A^n \quad (8.7)$$

という形で差分化する。なお,α は 0 以上 0.5 以下の定数で,0 のときは陽解法に帰着する。式 (8.7) において,時間微分を含む項は差分化するときに時間ステップ $n+1$ の値を用いることになる。同様に,空間微分の項も時間ステップ $n+1$ の値を用いて差分値を評価することになる。したがって,未知量を用いて空間差分値を評価する必要がある。なお,この手法を用いれば,$\alpha \geq 0.25$ で安定になることを示すことができる。未知量を用いて空間差分値を求めながら系の時間発展を予測するには,一般的に**疎行列**(sparse matrix)係数をもつ

連立1次方程式を解く必要があるが，今回のような1次元系においては，係数行列が**帯行列**（band matrix）となるため，連立1次方程式は**直接法**（direct method）を用いて解いた．

8.1.2 断面積が一様でない影響

木琴の音板は図8.2に示すように中央部の厚みを薄くすることで，**倍音構造**（harmonic sound）を変化させ音色を調整する．そこで，幅30 mm，長さ200 mm，厚み15 mmの一様な形状と，その中央部が7 mmほど薄くなるよう断面積を変化させた形状の比較を行った．減衰係数として$\eta = 1.0 \times 10^{-7}$〔s〕と$\gamma = 50$〔$s^{-1}$〕を用いた．また，音板を保持するために，両端から10 mmのところに1 000 N/mのバネ定数で支持条件を設定した．

中央を衝撃加振したときの（0.15 m, 0.00 m）の点での法線方向振動速度の時刻歴を図8.3に示す．なお，加振力の時刻歴は**ヘルツの固体接触の理論**（Hertz's contact theory）を用いて与えた[2), 3), 8)]．図（a）が断面積一様のもの，図（b）が7 mmほど中央部を薄くした断面積変化のものに対応する．両者を比較すると振動の時間的構造が違うことがわかる．

また，低周波の変動は支持バネの影響による固有振動数に対応している．この計算結果の周波数スペクトルを図8.4に示す．中央部を薄くすることで，基音や倍音の周波数が変化することが示された．

図8.2 断面積が一様でない梁

8.1 木琴

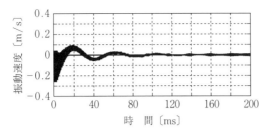

(a) 断面積一様

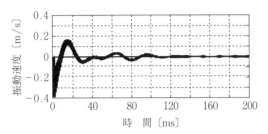

(b) 断面積変化

図 8.3 面外振動速度の時間波形

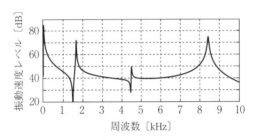

(a) 断面積一様

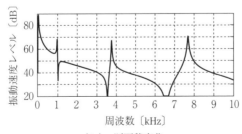

(b) 断面積変化

図 8.4 面外振動速度のパワースペクトル

8.1.3 振動の実測値との比較

せん断弾性係数 G は等方的な材質の場合，ポワソン比 ν とヤング率 E を用いて，

$$G = \frac{E}{2(1+\nu)} \tag{8.8}$$

で算出できるが，木材は異方性があるので固有周波数の比を比較しながらせん断弾性係数の調整をした。また，音板は垂直に貫通する2本のひもで支えられているため，ひもの位置に支持バネ定数を与えた。

実際の小学生用の木琴（YAMAHA No.180）を計測して，シミュレーションで用いる音板の形状モデルを作成した。モデルで用いた値を**表**8.1に示す。単位は mm である。これらの値を用いて形状モデルを作成し，ばちを用いた加振に対する数値計算結果と実測値の周波数特性を比較することで，音板のヤング率や質量密度など，数値シミュレーションで用いる設定値を調整した。FDTD 法シミュレーションで用いたパラメータを**表**8.2に示す。最初に，振動加速度の時間波形を実測値と比較することにした。音名 D6 の音板の中央から長手方向へ 2 mm ずれた点を打撃した際の，中央での振動加速度時間波形の比較を**図**8.5に示す。ばちのヤング率や初速度，減衰係数を調整することで，振幅の時間変動が実測値に近いシミュレーションを実施できるようになった。つぎに，1次から3次モードまでの固有周波数の比較を**表**8.3に示す。単位は Hz である。数値計算と実測の固有周波数もおおむね一致していることがわかった。

表 8.1　形状パラメータ（単位：mm）

音　名	D6	A6
長　さ	189	163
幅	30	30
厚　み	16.5	16.5
くぼみ深さ	8.5	7.0
くぼみ幅	59.0	52.5
くぼみ位置	66.5	54.0
支持位置（両端から）	42, 38	34, 36

表8.2 シミュレーション条件パラメータ

パラメータ	値	単位
ヤング率（E）	1.67×10^{10}	Pa
せん断弾性係数（G）	1.54×10^{9}	Pa
ポワソン比（ν）	0.3	
質量密度（ρ）	830	kg/m^3
粘弾性パラメータ（η）	5.0×10^{-8}	s
減衰パラメータ（γ）	70	s^{-1}
ばち先端の半径	10	mm
ばち先端のヤング率	4.0×10^{9}	Pa
ばち先端の質量	5.0	g
衝撃時初速度	0.3～0.5	m/s
空間離散化幅	1.0	mm
時間離散化幅	1.0/441	ms

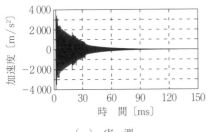 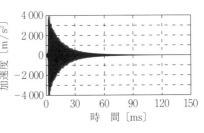

（a）実測　　　　　　　　（b）シミュレーション

図8.5 音名D6の音板の振動加速度時間波形

表8.3 固有振動数（単位：Hz）

ピッチ	1次モード	2次モード	3次モード
D6（実測）	1 187	4 266	7 962
D6（シミュレーション）	1 183	4 262	8 064
A6（実測）	1 766	5 674	9 958
A6（シミュレーション）	1 814	5 655	10 177

8.1.4 放射音の可聴化

音板の振動解析で得られた構造物表面の振動速度を境界条件として放射問題を考え、放射音の可聴化を試みた。ここでは、開領域の解析に適した境界要素法もあわせて利用し、以下のような手順で解析を行った。

まず、音板の表面を細かく分割し、その分割された各面が振動時に一様な法線方向速度をもつと見なせるようにする。今回は最低次数振動の波長の 1/30 以下のサイズで分割した。図 8.6 に示すように、分割面の一部のみが単位速度で振動しているときの評価点へのインパルス応答を、すべての分割面について計算し、データベース化する。インパルス応答は、境界要素法を用いて計算された周波数領域の伝達関数から、フーリエ逆変換を用いて算出することができる。このとき、境界要素法での要素の集合が分割面と一致するよう設定する。

つぎに、梁の振動計算を FDTD 法で行い、上述の分割面の時刻ごとの法線方向速度を用いて、インパルス応答のデータベースの時間ステップと一致させながらたたみ込み積分を行い、評価点音圧への各分割面の寄与を計算する。梁構造のすべての分割面からの寄与を足し合わせることで、音圧の時間波形を得ることができる。

物体表面の法線方向速度分布が与えられたときの評価点での音圧時間波形 $p(\boldsymbol{x}, t)$ は、速度ポテンシャルの時間微分に空気の質量密度をかけたものとなるため、各周波数成分の速度ポテンシャル $u(\boldsymbol{x}, \omega)$ のフーリエ逆変換を用いて、

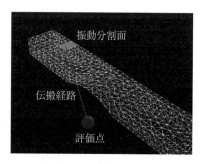

図 8.6 振動部位からの放射音イメージ

$$p(\boldsymbol{x},t) = -\rho_a \int_{-\infty}^{\infty} i\omega u(\boldsymbol{x},\omega) e^{i\omega t} d\omega \tag{8.9}$$

と計算できる。ここで，ρ_a は空気の質量密度である。音板が振動している場合，周辺空間内の点 $\boldsymbol{x}$ での速度ポテンシャル $u(\boldsymbol{x},\omega)$ は境界積分を用いて，

$$u(\boldsymbol{x},\omega) = \int_{\Gamma} \left\{ u(\boldsymbol{y},\omega) \frac{\partial u^*(\boldsymbol{x},\boldsymbol{y})}{\partial n} - \frac{\partial u(\boldsymbol{y},\omega)}{\partial n} u^*(\boldsymbol{x},\boldsymbol{y}) \right\} d\boldsymbol{y} \tag{8.10}$$

で計算することができる。ここで，Γ は音板の表面，$\boldsymbol{y}$ は Γ 上の点，$u^*(\boldsymbol{x},\boldsymbol{y})$ はヘルムホルツ方程式の基本解，$\partial/\partial n$ は音板表面での法線方向微分である。なお，音板表面の一部が単位速度で振動しているときの表面の速度ポテンシャルは，境界積分方程式を解くことで求めることができる。振動部位を細分化して，各部分の振動速度に対する周辺の評価点での音圧応答時間波形を，境界要素法を用いて計算した。上限周波数 8 500 Hz，周波数間隔 21.53 Hz の正弦波振動に対する応答を周波数領域で計算し，その結果をフーリエ逆変換することで，音板の一部が 1 m/s の速度でインパルス的に振動した場合の時間応答を求めた。評価点は音板中央から真上 0.5 m の位置と真横 0.5 m の位置に設定した。中央から x 軸方向に 10 mm，y 軸方向に 1 mm ずれた点を衝撃加振したときの各評価点での音圧時間波形を計算し，その信号の 32 768 点を用いてフーリエ変換を行い，周波数分析した結果を図 8.7 に示す。評価点による周波数特性の違いが予測できていることがわかる。

実験で得られた木琴の音板の放射音の周波数特性を図 8.8 に示す。放射方向による周波数特性の傾向がシミュレーション結果と類似していることがわか

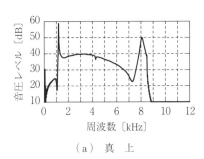
（a）真　上

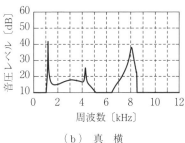
（b）真　横

図 8.7　音板周辺の音圧周波数スペクトル（シミュレーション）

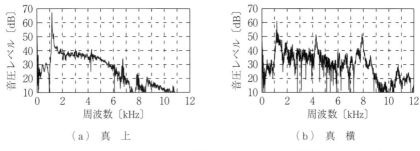

(a) 真 上　　　　　　　　　　(b) 真 横

図 8.8　音板周辺の音圧周波数スペクトル（実測）

る。また，実測の場合は細かい変動成分が見られるが，その原因としては，材質の不均一性や隣の音板との相互作用などが考えられる。

8.2　梵　　　鐘

除夜の鐘は年末年始を代表する風物詩の一つであろう。"ゴーン，ゴーン"と長く鳴り響く音は，鐘のサイズにもよるが，一般的に低く，きわめて長い**余韻**（afterglow）をもつ。**うなり**（beat）をともなう場合が多く，それによってある種の神秘性が生まれるため，仏教法具として古くから用いられてきたものと想像される。寺院に設置される釣鐘を梵鐘（ぼんしょう）と呼ぶが，日本で製作されたものは特に和鐘（わしょう）と呼ばれる。図 8.9 に和鐘の典型的な形状と各部位の名称を示す。吊具部分を龍頭（りゅうず）と呼ぶ。鐘の表面は帯（おび）と呼ばれる線で鉛直方向と水平方

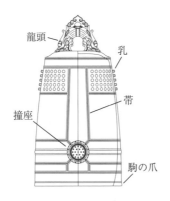

図 8.9　和鐘の典型的形状と各部位の名称

向に区切られ，その上部の区画には乳と呼ばれる突起状の装飾が規則的に並べられる。撞木が当たる部分には撞座と呼ばれる円形の装飾が施される。また，鐘の下縁には外側に少し突き出した部分があり，それを駒の爪と呼ぶ。図の右半分には，鐘の内側の輪郭線を実線で示している。このように，裾の部分がほかの部分より厚くなっていることが多い。

梵鐘については，おもに文化史の分野で，その形状や装飾に関する研究が行われてきた。音響学的な研究は昭和になってからはじまったが，数値的な解析を試みた例は多くない。高澤[9]をはじめ，周波数領域での解析[10]〜[12]が精力的に行われたが，1996年には高澤[13]によって動的な解析についても報告されている。しかし，そこでは梵鐘の形状を円筒と仮定しており，定性的な知見を得るにとどまっている。したがって，その解析によって，どのような音が再現されたのかは定かではない。

ここでは，FDTD法を用いて，可能な限り実際の形状に近い梵鐘の解析を行った例を紹介する[14]。解析結果を可視化，および，可聴化することで，目で見て，耳で聞いて，直感的に現象の把握や評価を行うことができる。また，解析結果を実測結果と比較し，解析の妥当性を検討する。妥当性が確保されれば，新たに設計する梵鐘のおおよその音色を鋳造前に確認できることになろう。そうなれば，設計の段階で鐘の音色に関する要求をある程度反映させることが可能となる。また，記録のみで実物がすでに失われている古い梵鐘の音を，現代によみがえらせることも可能となるであろう。

8.2.1 形状と媒質定数

ここで対象とする梵鐘は，実在する口径2.8尺（約848 mm）の典型的な和鐘であり，その正面図は図8.9に示した通りである。解析対象となる周波数を考慮して，龍頭，および，撞座部分の形状を簡素化し，梵鐘の断面形状の回転体を考えることで，乳や帯を無視した図8.10に示すような3次元のポリゴン形状を作成した。形状が半分しか表示されていないが，これは対称性を考慮したためである。面Aには対称境界条件を適用し，計算負荷を低減する。また，

212　　8. 楽器音のシミュレーション

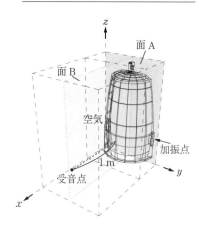

図 8.10　3 次元ポリゴン形状

図中の破線で囲んだ部分は空気で満たされているものとした。面 A 以外の空気部分の外側には PML（1.2.4 項参照）を付加し，自由空間中に梵鐘が浮いている状態を模擬した。梵鐘のポリゴン形状の大まかな寸法図を図 8.11 に示す。図中，黒塗りの部分が梵鐘の厚み形状を表している。解析対象上限周波数は 3.4 kHz 程度を想定し，空間離散化幅を 5 mm とした。図 8.10 に示す形状を利用し，離散化された各セルの中心が梵鐘のポリゴンの内部にあるか否かを判定することで，FDTD 解析用の格子を作成した。なお，さらなる計算負荷低減のために，図 8.10 の手前側にある，破線で囲まれた空気部分の x 軸方向離散化幅を 25 mm とした。**不等間隔格子**（nonuniform mesh）となるため，若干の追

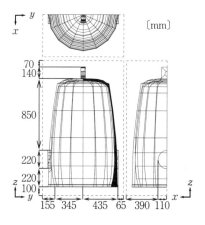

図 8.11　ポリゴン形状の寸法図

加処理が必要となるが[15],セル数が大幅に削減されるため,計算時間とメモリの両面から負荷が低減される。図中に示す撞座付近の矢印が加振点と加振方向を,また,黒丸が受音点を表している。

梵鐘の媒質は青銅鋳物3種を想定し,その媒質定数は鋳造工学便覧[16]に記載されている値(密度 $8\,700\,\mathrm{kg/m^3}$,ヤング率 $1.009\times10^{11}\,\mathrm{N/m^2}$,ポアソン比 0.3)を採用した。余韻の減衰をできる限り再現するため,空気,および,青銅鋳物にはそれぞれ粘性を考慮した。空気のせん断粘性係数は $1.8\times10^{-5}\,\mathrm{Ns/m^2}$,体積粘性係数は $1.2\times10^{-5}\,\mathrm{Ns/m^2}$ とした。既往の研究結果[17]を参考に,空気にはさらに摩擦抵抗として $5\,\mathrm{Ns/m^4}$ を与えた。摩擦抵抗導入の是非については議論の余地が多分に残されているが,ここでは触れないこととする。青銅鋳物の粘性係数は不明であったため,剛性比例型を仮定し,後に示す実験結果を参考にして,その比例係数を同定した。その結果,5 kHz で**損失係数**(loss factor)が 0.002 に相当する粘性係数を設定した。

8.2.2 実測と加振力波形

図 8.12 に実測時の様子を示す。図 8.10 に示す受音点位置にマイクロフォン(RION NA-28)を設置した。手で撞木を撞座から 500 mm 離した点まで引いて止め,手を放して自然運動させ,撞木が衝突することで梵鐘から発せられる音をサンプリング周波数 48 kHz で記録した。一方,解析に必要な加振力波形を

図 8.12 対象とした梵鐘と実測の様子

214　8. 楽器音のシミュレーション

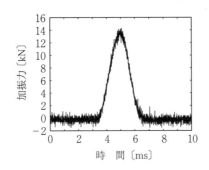

図 8.13　実測した加振力波形

測定するため，ロードセル（load cell）を撞座に直接固定し，上記と同様に撞木を衝突させた際のロードセルの出力端子間の電圧を差動アンプ（difference amplifier）で増幅した電圧波形をディジタルオシロスコープ（oscilloscope）で観測した。加振力波形の一例を図 8.13 に示す。波形はガウス分布に似通っていたため，この波形を模したガウシアンパルスを解析に用いる入力波形とした。

8.2.3　可視化結果

図 8.10 に示す面 A，および，面 B の可視化結果を図 8.14（●A_8.2-1，A_8.2-2，および，口絵 8）に示す。自由空間中に浮いている梵鐘を加振したため，梵鐘は変形しながら移動することになるが，解析上は変形量が微小であるという仮定のもとで行っており，媒質境界の位置変化については考慮されていないことに注意されたい。可視化結果を見ると，梵鐘内部の中心軸付近は音圧変化が小さく，定在波の節となっていることがわかる。これは梵鐘内部のおおよその平均直径である 0.7 m を半波長とする周波数で共鳴が生じていることを示唆しており，次項で紹介する周波数応答でも解析結果の 250 Hz 付近に梵鐘内部からの放射と思われるピークが観測される。しかしながら，実測結果ではほかにも多数のピークが生じており，この内部の共鳴によるピークはそれらに埋もれてしまったものと思われる。

8.2 梵鐘　215

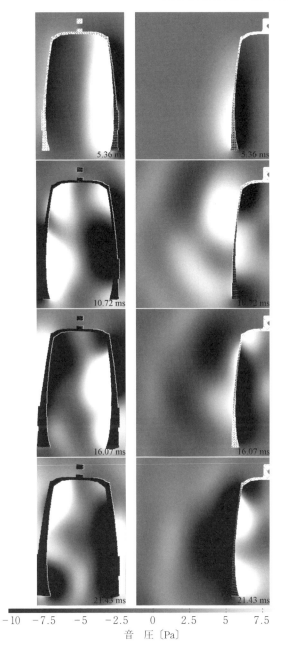

図 8.14　固体振動と音響放射の様子

8.2.4 実測との比較と考察

図 8.15,および,図 8.16 に実測結果と解析結果の初期時間応答,および,周波数応答をそれぞれ示す。時間応答の明確な一致は見られなかったが,基音となる周波数にはそれほど大きな違いはなかった。解析結果のほうが全体的に低めの周波数でピークが生じているが,これは梵鐘の媒質定数に,実測値ではなく,文献に記された値を用いたためではないかと思われる。また,実測結果には解析結果には見られない多数のピークが中高域で観測された。解析では形状を断面形状の回転体としたため,複雑な共鳴現象を再現することができなかったものと考えられる。実測結果に見られた多数のピークの一部は非常に近接した周波数で生じているものもあり,このような近接周波数でのピークがう

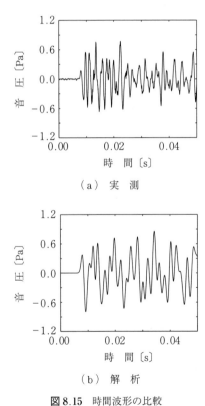

(a) 実　測

(b) 解　析

図 8.15　時間波形の比較

8.2 梵鐘　217

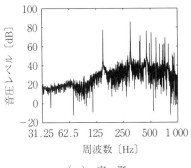

(a) 実　測

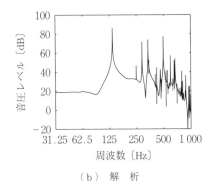

(b) 解　析

図 8.16　周波数特性の比較

なりの要因になると思われる。1 kHz のローパスフィルタを通した受音点での実測音（S_8.2-1）と解析音（S_8.2-2）をご一聴されたい。図 8.16 で見られたように，解析音は実測音よりも高周波数成分が少なく，基音も少し低い。いずれの音も周期の長いうなりは感じられないが，よく聞けば，実測音では短い周期のうなりが生じていることがわかる。

図 8.17 〜 8.20 に実測音と解析音の **1/3 オクターブバンド**（1/3-octave band）ごとの音圧レベルの時間変化を示す。**時定数**（time constant）は 125 ms（サウンドレベルメータの時間重み特性 Fast 相当）である。経過時間 0.5 s までの音の立ち上がりは，低域，高域に関わらず，実測と解析で似通った傾向が見られる。ただし，0.5 s 以降，実測では 315 Hz 帯域の減衰が弱く，卓越す

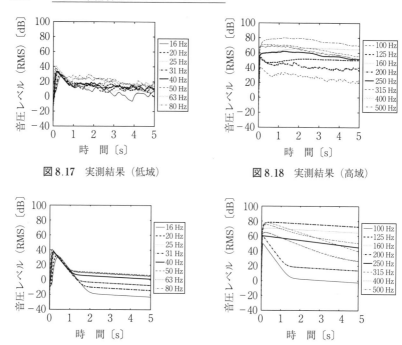

図 8.17 実測結果（低域）

図 8.18 実測結果（高域）

図 8.19 解析結果（低域）

図 8.20 解析結果（高域）

るのに対し，解析では 125 Hz 帯域が卓越しており，この差が聴感上の違いに対応するものと思われる。また，実測の 400 Hz 帯域は細かく波打っており，比較的音圧レベルも高いため，うなりとして聞こえる。解析でも 400 Hz 帯域は波打ってはいるが，その変化は微小であり，また，減衰も早いため，聞きとることは困難であろう。文献 18) によれば，うなりは梵鐘の厚みの非対称性が原因であると報告されている。ここでは，断面形状の回転体として梵鐘の形状を作成したため，うなりが生じなかったものと思われる。

　以上より，残念ながら，ここで紹介した例では解析の妥当性を十分には示すことができなかったといえる。しかしながら，その要因に関する知見として，つぎのことが示唆された。まず，媒質定数が正確でなかったため，発生音の減衰傾向が異なったものと思われる。また，形状も断面形状の回転体として作成したため，実物と一致しておらず，それによって梵鐘の固有振動数が異なった

ことが聴感上の大きな差異につながったのであろう。さらには，微妙な厚みの変化や非対称性を考慮しなかったことから，うなりの有無にも違いが生じた。これらは梵鐘に限らず，ほかの対象物を解析する際にも十分に注意を払わねばならない点と思われる。形状に関しては，解析対象の最大周波数との関係から，いくらかは簡易化が可能であると思われるが，媒質定数に関しては信頼性の高い文献値を用いるか，もしくは，実測値を用いることが望ましいといえるであろう。

引用・参考文献

1) N. H. Fletcher and T. D. Rossing : The Physics of Musical instruments, 2nd Edition, Springer-Verlag, New York（1998）
2) 鶴　秀生：時間領域差分法を用いた木琴の数値計算手法の検討，電子情報通信学会技術報告，EA2009-34, pp.97-102（2009-06）
3) 鶴　秀生：木琴の時間領域数値解析手法の検討，数理解析研究所講究録（2009）
4) F. Orduña-Bustamante : Nonuniform beams with harmonically related overtones for use in percussion instruments, J. Acoust. Soc. Am., **90**(6), pp.2935-2941（1991）
5) A. Chaigne and V. Doutaut : Numerical simulation of xylophones. I. Time-domain modeling of vibrating bars, J. Acoust. Soc. Am., **101**(1), pp.539-557（1997）
6) 近藤恭平：振動論，培風館（2002）
7) K. F. Graff : Wave Motion in Elastic Solid, Dover, New York（1991）
8) L. D. Landau and E. M. Lifshitz : Theory of Elasticity, 3rd Edition, Butterworth-Heinemann, Oxford（1999）
9) 高澤嘉光：梵鐘の数値シミュレーションによる音響学的解析，電子情報通信学会技術報告，EA95-24（1995-07）
10) 西口磯春，高澤嘉光：和鐘の発音機構の解析，日本音響学会誌，**53**(11), pp.844-850（1997）
11) 日下部智：角をつけた特殊鐘と棒をつけた和鐘の振動：固有振動数の連続変化の研究第1報，日本音響学会誌，**28**(12), pp.647-651（1972）
12) T. Nakanishi, T Miura, T. Masaeda, and A. Yarai : Influences of the shapes of a temple bell's parts on acoustic characteristics, Acoust. Sci. Tech., **25**(5), pp.340-346（2004）

13) 髙澤嘉光：梵鐘の発音機構の動的シミュレーション，日本音響学会春季研究発表会講演論文集，pp.629-630（1996-03）
14) 佐藤雅弘，豊田政弘，会田哲夫，飴井賢治：和梵鐘のシミュレーションと実験の音色比較，日本音響学会誌，**71**(12)（2015）
15) M. Toyoda, D. Takahashi, and Y. Kawai：Averaged material parameters and boundary conditions for the vibroacoustic finite-difference time-domain method with a nonuniform mesh, Acoust. Sci. Tech., **33**(4), pp.273-276（2012）
16) 日本鋳造工学会 編：鋳造工学便覧，丸善（2002）
17) M. Toyoda and D. Takahashi：Prediction for architectural structure-borne sound by the finite-difference time-domain method, Acoust. Sci. Tech., **30**(4), pp.265-276（2009）
18) 久納孝彦，寺尾 憲，鴨沢祥太，露木善康：和鐘の非軸対象肉厚分布とうなりの振動モード，日本機械学会東北支部秋季講演会講演論文集，2005(41), pp.293-294（2005-09）

付　　録

付録 A．C 言語/Fortran のサンプルプログラム

　ここでは，C 言語と Fortran で書かれた 2 次元，および，3 次元音場 FDTD 解析のサンプルプログラムを紹介する．計算対象とする場は，自由音場内に置かれた，表面に吸音性をもつ直方体による散乱場とし，ガウシアンパルスを空間中のある一点に印加した際の音圧，および，粒子速度分布を可視化する．付録 DVD に 2 次元音場 C 言語プログラム，3 次元音場 C 言語プログラム，2 次元音場 Fortran プログラム，3 次元音場 Fortran プログラムの四つのプログラム（🄓付録 A）を収録しているので，参照されたい．C 言語でも Fortran でも内容は同じである．これらのファイルは Mac や Linux などの UNIX 系 OS であれば，GNU Compiler Collection（GCC）[1] の C コンパイラ（GNU C Compiler：GCC）や Fortran コンパイラ（GNU fortran, gfortran）でコンパイル（Compile）が可能である．Windows でも，MinGW[2]，Cygwin[3] などとあわせて使用することで，上記コンパイラを使用することができる．もちろん，Intel Parallel Studio[4] などの商用コンパイラを用いることも可能である．コンパイラオプションのサンプルをそれぞれのプログラムの最初にコメントとして記載しているので，適宜参照されたい．また，プログラムを実行すると，プログラムが置かれたディレクトリに大量の計算結果ファイルが作成されるため，注意されたい．

　サンプルプログラムで計算対象とした 2 次元音場を付図 **A**.1 に示す．3 次元音場も，2 次元音場の次元を一つ増やしただけであり，基本的な条件は同じである．今後，このプログラムを改変することで，できる限りさまざまな場に対応できるよう，無反射境界として PML を，吸音境界として表面インピーダンス境界を実装している．また，一部のループには OpenMP による並列化を実装している（ただし，結果の出力がボトルネックとなる可能性が高く，その場合は計算速度の向上は見込めない）．プログラムのフローチャートを付図 **A**.2 に示す．フローとの対応をとりやすいよう，プログラム中ではファンクションやサブルーチンは使用せず，実行順にコードを羅列した．C 言語ユーザには慣れない書式かと思われるが，ご容赦いただきたい．

　いくつか注意点を述べておく．まず，定数 df（出力ファイルスキップ数）であるが，これは何（時間）ステップごとに計算結果を出力するかを定める整数である．

222　付　　　　　録

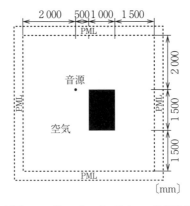

付図 A.1　サンプルプログラムの計算条件

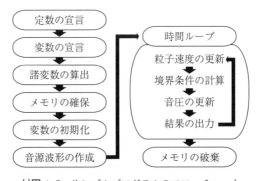

付図 A.2　サンプルプログラムのフローチャート

値が1であれば，すべての時間ステップの情報がファイルに出力されることになる。値が小さいほど，後で述べる可視化結果の動画はなめらかになるが，その分だけ出力されるファイル数が多くなるため，注意されたい。つぎに，PMLに関する処理であるが，定式化については文献5)を参照されたい。PML内では音圧を各方向成分に分解して更新を行う必要があるため，これにあわせて，本サンプルプログラムではPML以外の部分でも同様の分解を行っている。すなわち，式 (1.21) で表される音圧の更新式を

$$p_x^{n+1}(i,j,k) = p_x^n(i,j,k) - \kappa \frac{\Delta t}{\Delta x} \{v_x^{n+0.5}(i+0.5,j,k) - v_x^{n+0.5}(i-0.5,j,k)\},$$

(A.1)

$$p_y^{n+1}(i,j,k) = p_y^n(i,j,k) - \kappa \frac{\Delta t}{\Delta y}\{v_y^{n+0.5}(i,j+0.5,k) - v_y^{n+0.5}(i,j-0.5,k)\}, \tag{A.2}$$

$$p_z^{n+1}(i,j,k) = p_z^n(i,j,k) - \kappa \frac{\Delta t}{\Delta z}\{v_z^{n+0.5}(i,j,k+0.5) - v_z^{n+0.5}(i,j,k-0.5)\}, \tag{A.3}$$

$$p^{n+1}(i,j,k) = p_x^{n+1}(i,j,k) + p_y^{n+1}(i,j,k) + p_z^{n+1}(i,j,k) \tag{A.4}$$

の四つに分けて処理をしている．必要メモリや計算負荷の観点からはマイナスの要素となるため，本来は不要な処理である．しかし，上記のような処理を施すことによって，PML 内外の処理が統一され，各種空間ループ範囲の指定が単純になる．この点を重視したための処理であるため，ご容赦いただきたい．

プログラムを実行すると，プログラムが置かれたディレクトリに，例えば，test_2d_00001.vtk というファイルが作成される．このファイルには，ある時間ステップの音圧分布と粒子速度分布の情報が記述されている．記述フォーマットは Kitware Visualization Toolkit（VTK）形式[6]にのっとっており，Kitware ParaView[7]で読み込むことができる．ParaView の仕様や操作法については文献 8），9）を参照されたい．以下に，サンプルプログラムの計算結果を可視化する方法を紹介する．

まず，2 次元の解析結果を可視化してみよう．ParaView（version 4.3.1）を起動すると，付図 A.3 のようなウィンドウが表示される．① の Open ボタンを押し，計算結果が置かれたディレクトリを指定，test_2d_..vtk を選択する．その後，② の Apply ボタンを押すことで可視化画像が表示される．つぎに，③ の Rescale to Custom Data Range ボタンを押し，Minimum に -100，Maximum に 100 を入力する．最後に ④ の

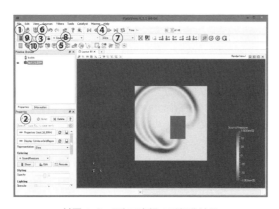

付図 A.3　2 次元音場の可視化結果

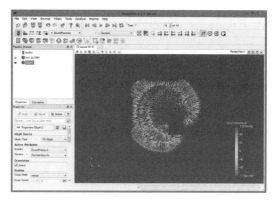

付図 A.4　2 次元粒子速度場の可視化結果

Play ボタンを押せば，音圧の可視化動画が再生される。

　粒子速度分布を見るには⑤の Glyph ボタンを押し，ウィンドウ左下の Properties にある Glyph Type を 2D Glyph に，Scale Mode を vector に，Scale Factor を 2 にして，②の Apply ボタンを押し，④の Play ボタンを押せば，音圧に加え，粒子速度の可視化動画が再生される。粒子速度のみの動画を再生したい場合には，ウィンドウ左上の Pipeline Browser の test_2d_000* の左にある目のアイコンをクリックし，音圧を非表示とすればよい（**付図 A.4**）。

　つぎに，3 次元の解析結果について述べよう。まず，⑥の Disconnect ボタンを押す。これにより，これまで読み込んでいたデータが破棄され，ParaView が初期化される。あらためて，①の Open ボタンを押し，test_3d_..vtk を選択，つづけて，②の Apply ボタンを押し，可視化画像を表示する。⑦の Representation を Volume に，また，⑧の Mapped Variable を SoundPressure に変更する。この際，OpenGL に関するエラーが表示される場合があるが，気にせず進めてかまわない。つぎに，2 次元の場合と同様，③の Rescale to Custom Data Range ボタンを押し，Minimum に−100，Maximum に 100 を入力する。最後に，⑨の Edit Color Map ボタンを押し，画面右側に表示された Color Map Editor の Mapping Data を図のように変更し，④の Play ボタンを押す（**付図 A.5**）。図において，Mapping Data の中央付近下側の二点は Data が−20，および，20 の位置に設定している。これがボリュームレンダリングと呼ばれる可視化方法であり，3 次元分布の全体を観測するのに適している。

　粒子速度を表示するには，2 次元の場合と同様に⑤の Glyph ボタンを押し，Properties の Glyph Type を 2D Glyph に，Scale Mode を vector に，Scale Factor を 2 にして，②の Apply ボタンを押せばよい。

付録 A. C 言語/Fortran のサンプルプログラム   225

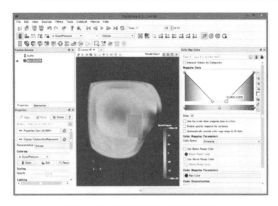

付図 A.5 3 次元音場の可視化結果

さて，Pipeline Browser の test_3d_000* をあらためて選択し，⑦ の Representation を Outline にしよう．つぎに，⑩ の Clip ボタンを押し，Properties の Normal に 0，−0.5，−1 を入力して，④ の Apply ボタンを押せば，断面の音圧分布と 3 次元の粒子速度分布が同時に可視化される（**付図 A.6**）．

なお，これらの動画は，File メニューにある Save Animation を実行することで，AVI 形式の動画ファイルとして保存することが可能である．また，File メニューにある Save Data で Files of type に Legacy VTK Files（*.vtk）を指定して，test_2d-bin などの適当な名前を付け，OK ボタンを押せば，Configure Writer ダイアログが表示される．ここで，Write all timesteps as file-series にチェックを付け，File Type が Binary であることを確認して OK ボタンを押せば，同じディレクトリに新しい計算結果ファイルが作成される．これらのファイルはバイナリ形式の VTK ファイルであ

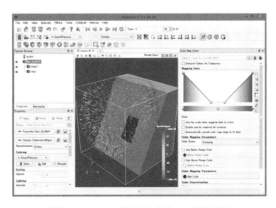

付図 A.6 3 次元粒子速度場の可視化結果

り，サンプルプログラムで書き出したテキスト形式の VTK ファイルよりもファイルサイズが小さく，また，ParaView での読み込みも速い．ファイルサイズを節約したい場合や動画再生をなめらかにしたい場合には，上記手順にてバイナリ形式の VTK ファイルに変換することをおすすめする．

付録 B. Scilab/MATLAB のサンプルプログラム

付録 A では C 言語，および，Fortran による実用的なサンプルプログラムを紹介したが，この付録 B ではさらにシンプルなコードを紹介する．実際の研究や設計での実用性には乏しいが，より身近に "FDTD のエッセンス" を感じられるように配慮したので，プログラミングに不慣れな読者であってもぜひ気軽にトライして，「音場を感じて」ほしい．

付録 DVD に，Scilab，および，MATLAB スクリプトで書かれた最も簡単な 2 次元音場 FDTD 解析のサンプルプログラム（●付録 B）を収録しているので，ぜひ PC を実際に操作しながら読み進めていただきたい．これらの二つのプログラムはまったく同じ構成になっているため，どちらを選んでいただいても違いはない（行番号も共通である）．MATLAB をすでに利用しているユーザは fdtd_2d_matlab_sjis.m を，それ以外のユーザ，および，Scilab をすでに利用しているユーザは fdtd_2d_scilab_utf8.sci をご利用いただきたい．Scilab はウェブサイト[10] から無償でダウンロード可能である（Windows 版，OSX 版，Linux 版が用意されている）．本稿執筆時点での最新版 5.5.2 で動作を確認している．Scilab，MATLAB のいずれも，コンソール（中央の白紙のウィンドウ）で「edit」と入力して Enter を押すと内蔵のエディタが起動するので，それぞれのエディタで .sci ファイルまたは .m ファイルを開く．

まずはエディタ上で [F5]，あるいは，右向きの三角マークを押してスクリプトを実行してみてほしい（初期状態ではファイル出力などは一切行われない）．**付図 B.1** のように点音源（ただし，実際には 2 次元シミュレーションであるので，無限長の線音源の断面を見ていることになる）から放射された音波が広がっていく様子が再現されているはずである．途中で止めるには [Ctrl]-[C] を押せばよい．Scilab の場合はそこで中断されて「-1->」のような表示になるので，「abort」と入力して Enter を押せば完全にもとのプロンプトに復帰することができる．ご覧の通り，このスクリプトには PML などの無反射境界（1.2.4 項参照）や媒質による吸収減衰（1.2.2 項参照）は実装していないので，音波は端面で全反射されて永遠に解析空間内にただよいつづける．

以下にプログラムの概要を説明する．まず，3 行目から 13 行目でシミュレーション空間やモデルなどを定義している．モデルの空間離散化幅 dx は 10 mm で，300 点

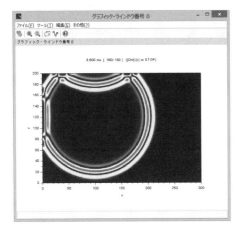

付図 B.1　fdtd_2d_scilab_sjis.sci を実行した例

×200 点の 2 次元空間（すなわち 3 m×2 m の空間）全体を空気で満たしている．時間離散化幅 dt は 20 μs としている．15 行目から 19 行目では音源を定義しており，振幅 5 000，周波数 1 kHz の波を座標（100, 80）の点から送る．27 行目では可視化結果を表示するウィンドウを生成し，28 行目で"jet"と呼ばれるカラーマップ（どの値を何色に割り当てるかの割当表）に設定している（64 段階）．そして，30 行目から FDTD 法のメインのループである．34 行目，35 行目で粒子速度の更新を，37 行目で音圧の更新をそれぞれ行っている．Scilab や MATLAB では行列どうしの演算をそのまま分解せずに記述することができるため，このようなシンプルな記述となっている．例えば，34 行目の

```
Vx(2:nx,:)=Vx(2:nx,:)-dt/(rho*dx)*(P(2:nx,:)-P(1:nx-1,:));
```

は，ループを分解して書いた以下のコード

```
for i = 2:nx
    for j = 1:ny
        Vx(i,j) = Vx(i,j)-dt/(rho*dx)*(P(i,j)-P(i-1,j));
    end
end
```

と同義である（ただし for 文で書くと実行速度が遅い）．なお，付録 A で紹介した Fortran 90 や，Python 用の数値計算ソフトウェアである SciPy[11), 12)] などでも同様の記述が可能である．付録 A では概要をとらえやすくするために DO 文で書いているが，行列を使った表現に書き換えることも可能なので，ぜひ読者でトライしてみてほしい．つぎに，39 行目から 43 行目で音源をシミュレートしている．ここでは，正弦波 1 波長の信号に両端の不連続点を避けるために二乗余弦窓をかけた波形を音圧

として与えている。最後に，45行目以降が可視化の部分である。実際に画像を表示しているのは47行目で，Scilabでは`Matplot`関数，MATLABでは`image`関数で行列の値を画像として表示している。

B.1　シミュレーションモデルの変更

ところで，流体（液体または気体）中の音速 c〔m/s〕と密度 ρ〔kg/m³〕と体積弾性率 κ〔Pa〕の間には

$$c = \sqrt{\frac{\kappa}{\rho}} \tag{B.1}$$

の関係があるため，この三つのうちの二つを与えれば媒質が定義できる（1.1.1項参照）。このプログラム中では密度 ρ（12行目）と体積弾性率 κ（13行目）の二つで与えている。この数値をいろいろ変えて試してみてほしい（このプログラムでは固体内の音波伝搬は扱えない）。なお，初期状態（空気）では体積弾性率 κ は 142.0×10^3 Pa，密度 ρ は $1.293\,\mathrm{kg/m^3}$ としているので，音速 c〔m/s〕は

$$c = \sqrt{\frac{\kappa}{\rho}} = \sqrt{\frac{142.0 \times 10^3}{1.293}} = 331.4 \tag{B.2}$$

となる。

いかがであろうか。媒質によって音波伝搬の様子が違って見えたはずである。また，音速が空気よりも速い媒質の場合には計算が不安定（発散）になったのではないだろうか。これは，シミュレーション条件が1.1.6項の式（1.27）で記した安定条件を満たさなくなったためである。このプログラムの初期状態（音速は $331.4\,\mathrm{m/s}$，空間離散化幅は $0.01\,\mathrm{m}$）では

$$\Delta t \leq \frac{1}{c\sqrt{\frac{1}{\Delta x^2}+\frac{1}{\Delta y^2}}} = \frac{1}{331.4 \times \sqrt{\frac{1}{0.01^2}+\frac{1}{0.01^2}}} = 21.3 \times 10^{-6} \tag{B.3}$$

であり，時間離散化幅が $20\,\mu\mathrm{s}$ の設定ではこの条件を満たしていたのが，音速が速くなった影響でこの条件を満たさなくなったのである（これを確認していただくためにこのプログラムではあえて時間離散化幅を自動設定にはしていない）。もし幸運にも計算が発散したシーンをまだご覧になっていない場合は，ぜひ音速，あるいは，時間離散化幅を変更して，この特徴的な発散の様子を一度は体験しておいてほしい。

B.2　音源の周波数の変更

さらに，16行目の数値を変えて，音源の周波数も変化させてみてほしい。周波数を上げると，波形の後部（波尾）に細かいギザギザの"尾ヒレ"が目立つようになるのがわかる（付図 B.2）。これは音波の波長に対して空間離散化幅が不足している

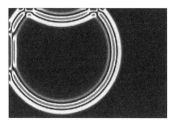
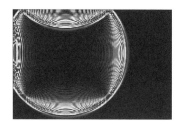

(a) 1 kHz   (b) 4 kHz

付図 B.2 送波周波数を変化させた場合の音場の例

ために発生している現象である．この計算誤差は，音速や時間刻みを変化させたときのように計算そのものが不安定になる（発散する）わけではなく，あくまでも計算精度が悪化するだけであるため，特にモデルが複雑になった場合などにこの影響を吟味するのを忘れがちであり，注意が必要である（1.1.6 項，および，1.2.1 項参照）．

B.3 カラーマップの選択

ここで用いている"jet"という名称のカラーマップについても注意事項を記しておく．実際にシミュレーションそのものを Scilab や MATLAB で行うことはあまりないとは思うが，ほかのプログラムで書き出したファイルを読み込んで可視化する場合などに参考にしてほしい．

まず，"jet"カラーマップがどのようなものかを見てみよう．例えば

Scilab:
```
h=scf();
h.color_map=jetcolormap(64);
Matplot(1:64);
```
MATLAB:
```
image(1:64);
colormap(jet(64));
```

などを実行すれば，画面に濃い青〜青〜シアン〜緑〜黄色〜赤〜暗い赤のグラデーションが表示されるはずである（1〜64 の値に対応している）．小さい値は青く，大きな値は赤く表示され，直感に合っているように感じられるからか，多くの報告で頻繁に目にする．ただし，このカラーマップは，HSV 表色系（色相・彩度・明度の三つで色を表す体系）の色相を回転させたものに似通ってはいるものの，じつは最小値または最大値に近づくにつれていずれも明度が下がる（暗くなる）ため，モノクロ印刷には適さない（**付図 B**.3）．また，カラー表示の場合でも両端が黒に近く

230　付　　　　　録

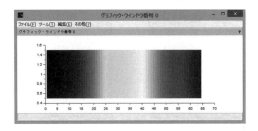

付図 B.3　Jet カラーマップ（64 段階）をモノクロ表示した例

なってしまって見分けが付きにくい場合があるという問題点もあり，万能というわけではない（なお，MATLAB 2014b 以降でデフォルトとして採用されている "parula" カラーマップではこの問題は解消されている）．

　例えば，モノクロ印刷の可能性がある場合や性能の低いスクリーン環境が予想される場合などには，明度が単調増加する "gray" や "hot" というカラーマップなども検討するとよい．

Scilab：「`jetcolormap(64);`」のかわりに「`graycolormap(64);`」や
　　　　　　「`hotcolormap(64);`」

MATLAB：「`colormap(jet(64));`」のかわりに「`colormap(gray(64));`」や
　　　　　　「`colormap(hot(64));`」

　また，グラデーションの刻み幅をもっと細かくとりたい場合は，64 と書かれている部分に 128 や 256 などの数値を入れれば，よりなめらかな表示となる．

　なお，与えた値がそのマップの範囲からはずれている場合，Scilab の場合は白色で表示されるが，MATLAB では両端の値に自動的に丸められるようである．どちらの挙動が使いやすいかは好みの分かれるところであろうが，いずれにせよ利用時には注意が必要である．

B.4　絶対値表示と符号付き表示

　音場を表示する場合に，値の絶対値を表示するのか正負の符号も含めて表示するのか，また，音圧を表示するのか（弾性 FDTD 解析の場合は応力のうちどの方向の成分か，垂直応力とせん断応力のいずれを表示するのか），粒子速度を表示するのか，また，それらの値を表示するのか，等高線で表示するのか，などを解析の目的に応じて考える必要がある．

　このプログラムの初期状態では「音圧の絶対値表示」としている．47 行目をコメントアウトして 48 行目のコメントアウトをはずすと符号付きの表示となるので試していただきたい．なお，符号付きの表示をする場合には，ゼロ点をカラーマップの

中央付近に設定する必要があるため，このプログラムでは一律 32 を加算している（"jet"カラーマップでは緑色になるが，各自適切だと思われるカラーマップを探してみてほしい）。

B.5 画像ファイルの保存

最後に，画像ファイルの書き出しについて紹介する。56 行目から 59 行目をコメントアウトをはずすと，一定ステップごとに PNG 形式の画像ファイルが書き出される。書き出しの頻度を変えるには 9 行目の `savestep` を変更すればよい（初期状態では 10 ステップ）。なお，ファイルはカレントディレクトリ（いま対象としているディレクトリ）に書き出される。カレントディレクトリを知るには「`pwd`」と入力して Enter を押せばよい。また，カレントディレクトリを変更するには「`cd "c:¥foobar¥"`」などとすればよい（OSX や Linux では "¥" のかわりに "/"）。動画化したい場合にはこの一連の静止画像を動画編集ソフトに読み込ませるのが簡便である（もちろん Scilab/MATLAB から直接動画を生成することも可能である）。そのほか，軸やフォントの変更などの望みの装飾を施すことも当然可能であるので，各ソフトウェアのヘルプなどを参考にいろいろ試してみていただきたい。

付録 C．JavaScript のサンプルプログラム

付録 A，および，付録 B では C 言語と Fortran，および，Scilab と MATLAB のサンプルプログラムを紹介したが，本書にはさらにインタラクティブに FDTD 法の魅力を体験できるプログラム（**付図 C.1**，🄫**付録 C**）も収録している。このプログラムは JavaScript のみで書かれており，標準的な HTML5 規格に準拠したウェブブラウザであれば，プラグインなどをインストールすることなく実行することができる（ブラウザによっては「ブロックされているコンテンツを許可」のようなメッセージが出る場合があるので「許可」などを選択する）。なお，2015 年 4 月時点での各ブラウザの最新版で動作確認を行っているが，万一将来の HTML，あるいは，JavaScript の仕様変更のために不具合が生じた場合は，できる限り筆者のウェブサイト[13]で対策版を公開していく予定である。また，このページでは 3 次元音場 FDTD 解析のデモプログラムや Processing[14] 用のスケッチも公開しているのであわせて参照されたい。

このプログラムは，2 次元音場 FDTD 解析（流体中の音波伝搬のみ）のサンプルプログラムである。吸収境界として，最も簡単なものの一つである Mur の 1 次吸収境界条件[15]（1.2.4 項参照）を採用している（吸収境界としての性能はよくはないが，演算は高速である）。また，画面をクリックすれば点音源を，ドラッグすれば点音源

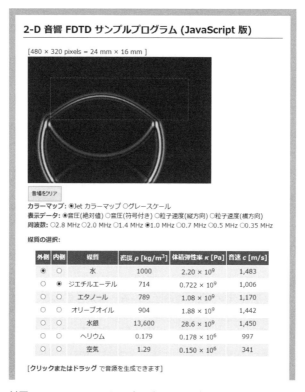

付図 C.1　JavaScript サンプルプログラムのスクリーンショット

のアレイを生成することができる（実際には2次元シミュレーションであるので，点音源ではなく無限長の線音源の断面を見ていることと等価である）。なお，空間離散化幅は 50 μm，時間離散化幅は 23 ns で固定しているので，変更したい場合はソースコードを直接編集していただきたい。また，表示対象は，音圧（絶対値，または，符号付き），および，粒子速度（縦方向，または，横方向）から選ぶことができる。

媒質は，水・ジエチルエーテル・エタノール・オリーブオイル・水銀・ヘリウム・空気のうちから二つを選ぶことができる（各媒質の物性値は常温付近での参考値である）。音速や密度が異なる媒質を用意したので，例えば，密度が大幅に異なる媒質間の境界で音圧と粒子速度はそれぞれどのような挙動を示すか，などを試してみてほしい。もちろん，媒質の音速によって屈折（2.4 節参照）の様子が異なることも確認できる。

送波波形は，デフォルトでは 1 MHz の正弦波 1 波（不連続点を避けるために二乗余弦窓をかけたもの）としているが，周波数は選択することができるので，音速の

遅い媒質を選択した場合などは，低い周波数を選んでいただきたい。逆に，高い周波数の音波を送波した場合には，数値分散性の影響で特に波尾で誤差が目立つことなども確認してみていただきたい（1.2.1項参照）。

引用・参考文献

1) GNU, the GNU Compiler Collection のウェブサイト：https://gcc.gnu.org/（2015年4月1日現在）
2) Minimalist GNU for windows のウェブサイト：http://www.mingw.org/（2015年4月1日現在）
3) Cygwin のウェブサイト：https://www.cygwin.com/（2015年4月1日現在）
4) Intel Developer Zone のウェブサイト：https://software.intel.com/en-us/（2015年4月1日現在）
5) 宮下豊勝，井上智隆：音響人工結晶の透過特性および導波特性のFDTD法による評価，電子情報通信学会技術報告，US2000-49, pp.47-53（2000-09）
6) Visualization Toolkit のウェブサイト：http://www.vtk.org/（2015年4月1日現在）
7) ParaView のウェブサイト：http://www.paraview.org/（2015年4月1日現在）
8) ParaView Tutorial のウェブサイト：http://www.paraview.org/Wiki/The_ParaView_Tutorial（2015年4月1日現在）
9) 大嶋拓也：ParaView導入ガイド，日本音響学会誌，**69**(8), pp.407-412（2013）
10) Scilab のウェブサイト：http://www.scilab.org/（2015年4月1日現在）
11) SciPy のウェブサイト：http://www.scipy.org/（2015年4月1日現在）
12) 日本建築学会編：はじめての音響数値シミュレーション プログラミングガイド，コロナ社（2012）
13) FDTD Simulation Movie & Demo のウェブサイト：http://ultrasonics.jp/nagatani/fdtd/（2015年4月1日現在）
14) Processing のウェブサイト：https://processing.org/（2015年4月1日現在）
15) G. Mur：Absorbing boundary conditions for the finite difference approximation of the time domain electromagnetic-field equation, IEEE Trans. Electromagnetic Compat., **EMC-23**(4), pp.377-382（1981）

索　引

あ
アクリル	189
安定条件	15

い
意匠設計	49
位相誤差	17
位相速度	35
板振動の方程式	99
板梁モデリング	99
板要素	103
異方性	22
色収差	191
陰解法	21
因果律	18
陰的	201
咽頭腔	159
インパルス	12
インパルス応答	11
インパルスハンマ	100

う
渦	39
うなり	210
運動方程式	2

え
エコー	49
エネルギー散逸	86

お
往復反射	51
オシロスコープ	214
帯行列	204
音圧	2
音響インテンシティ	64
音響出力	32
音響障害	50
音響設計	47
音響伝達特性	69
音響透過	71
音響放射	42
音源	10
音源指向性	11
音声明瞭度	53
音速	4
温度躍層	175
音波	1
音波伝搬	60
音場	2
──の拡散性	53
音場予測	48

か
解析解	6
回折	27
海綿骨	114
海洋表層	175
開領域	19
外力	87
ガウシアンインパルス	11
拡散	28
拡散体	50
角周波数	39
重ね合わせの原理	33
可視化	23
加振点	43
加振力	43
仮想音源	190
かたち	48
可聴域	39
可聴化	23
楽器	42
楽器音	42
カットオフ周波数	12
過渡音場	54
壁式の鉄筋コンクリート造	99
管楽器	200
環境騒音	77
干渉	27
干渉縞	33
慣性	2

き
完全吸収層	20
基音	201
擬似縦波	44
気積	47
気柱共鳴	39
逆位相	33
吸音境界	13
吸音材	17
吸音性	13
球面収差	189
球面波	103
境界条件	12
境界要素法	20
共振	39
共振周波数	39
共鳴	27
共鳴角周波数	39
共鳴透過	94
鏡面反射	27
虚音源	35
局所作用	70
距離依存型モデル	178

く
空間ステップ	7
空間分散値	54
空間離散化幅	5
空気伝搬音	77
空気粒子	2
くさび	127
くさび形浅海域モデル	177
屈曲波	43
屈折	27
屈折角	126
クーラン数	15
グレーティングローブ	132

け
系	39
脛骨	124

劇場	47	時間ステップ	7	スペクトログラム	95
弦楽器	42	時間積分	200	ずれ	2
減衰	201	時間発展	10	**せ**	
減衰定数	87	時間離散化幅	5		
建築音響	47	時間領域有限差分法	1	静圧	2
鍵盤楽器	200	磁気共鳴画像法	147	正弦波形	43
顕微鏡	134	指向性インパルス応答	64	静粛性	69
こ		指向性マイクロフォン	63	接触媒質	131
		室内音響	53	遷移層	174
コインシデンス限界周波数		時定数	217	線音源	28
	93	自動車車室	69	浅海域	174
コインシデンス効果	93	支配式	5	せん断	2
コインシデンス周波数	95	遮音	69	せん断応力	43
口腔	159	遮音性能	86	せん断波	27
高次差分スキーム	17	遮音壁	77	**そ**	
高周波数帯域	70	斜角探傷法	125		
剛性	187	自由境界	36	騒音	77
構造格子	18	自由空間	16	挿入損失	81
高速波	117	集束	135	像面湾曲	195
剛体	13	周波数	14	疎行列	203
喉頭腔	159	周波数特性	11	ソーファ	175
剛な境界	13	周波数範囲	49	疎密波	27
呼吸体	10	重量床衝撃音	97	損失係数	213
固結堆積物	177	主極大	194	**た**	
固体	2	縮尺模型実験	48		
固体音	42	純音	32	大気圧	2
固体伝搬音	42	衝撃波	46	堆積層	176
固体流体間の境界	99	状態方程式	4	体積速度	10
骨質	114	初期条件	10	体積弾性率	2
骨髄	114	シルト	182	打楽器	42
骨粗鬆症	114	深海域	175	多孔性飽和媒質	177
骨梁	114	浸食	120	多重回折	82
固定境界	37	深層	175	多重経路伝搬	119
コマ収差	189	振動	77	たたみ込み積分	18
固有振動	39	振動音響連成解析	86	縦波	27
固有振動数	39	振動源	97	単純支持	106
コンサートホール	47	深度特性	175	弾性	2
コンパイル	221	振幅	33	弾性FDTD法	115
コンパクト差分スキーム	17	心理音響学	47	弾性支持端	86
さ		**す**		単発音圧暴露レベル	68
				ち	
材質	48	垂直応力	43		
差動アンプ	214	垂直探傷法	125	逐次計算	10
差分近似	8	垂直入射吸音率	13	チモシェンコ梁理論	200
残響室	88	垂直入射表面インピーダンス		中心差分スキーム	8
参照点	6		13	超音波	113
散乱	27	数値解	6	超音波顕微鏡	113
散乱波	63	数値解析	6	超音波自動探傷システム	
し		数値分散性	12		125
		スタガードグリッド	1	超音波探傷	125
耳介伝達関数	151	砂	177	超音波探傷器	125

超音波探触子	125
直接音	50
直接法	204

て

定在波	39
低周波数帯域	70
低速波	117
点音源	71
伝搬定数	17

と

胴	40
動圧	2
同位相	33
透過	35
等価吸音面積	89
等価騒音レベル	79
透過損失	87
統計的エネルギー解析	98
橈骨	115
頭部伝達関数	147
等方性固体	99
道路騒音	77
特性インピーダンス	17
溶け込み不良	127

な

内装材	108
流れ抵抗率	71

に

入射角	27
ニュートンの第2法則	2

ね

ねじれ振動	201
ネック	40
粘性抵抗	18
粘弾性	86
粘弾性FDTD法	116
粘土	182

は

倍音構造	204
媒質	17
波長	14
波動性	27
バネ	39
バネ定数	87
バネ-マス系	41

波面	28
梁振動の方程式	99
梁要素	103
パルス	33
反射	27
反射音	50
反射角	27
半地下道路	77
反転位相板	191
半無限障壁	31

ひ

非球面方程式	188
鼻腔	159
非構造格子	19
腓骨	125
皮質骨	114
非破壊検査	113
屏風折れ型の拡散体	50
表面アドミッタンス	70

ふ

フェルマーの原理	176
不均質性	22
副極大	194
フックの法則	99
物理音響学	47
不等間隔格子	212
フラッタエコー	63
フーリエ逆変換	18
フーリエ変換	23
分散	54

へ

平面波	16
閉領域	19
並列計算	21
ヘルツの固体接触の理論	204
ヘルムホルツ共鳴	40
変位	3

ほ

放射	27
放射指向性	85
膨張	120
ポテンシャルエネルギー	54
掘割道路	77
ホール音響	47
梵鐘	200

ま

曲げ波	43
曲げ変形	104
曲げモーメント	87
摩擦抵抗	18
マス	41

み

未固結堆積物	177
密度	3

む

むくり	59
無指向性マイクロフォン	92
無反射境界	19

も

木琴	200
モード	40
モード変換	128

ゆ

有限積分法	19
有限体積法	19
有限要素法	19
床衝撃音	77
床スラブ	98

よ

余韻	210
陽解法	20
溶接部	125
横穴	131
横波	27

り

離散化	5
理想気体	4
立体モデリング	99
リープフロッグアルゴリズム	1
粒子速度	5
流体	2
領域	49
両耳間時間差	148
両耳間レベル差	148
臨界角	127

れ

レイリー積分	130

れ き	177
連続方程式	5

ろ

漏洩弾性表面波	134
ロードセル	214
ローパスフィルタ	12

B, C

BEM	20
CE-FDTD 法	23
CFL 数	15
CPU	21
CUDA	21

F

FDTD 法	1
FEM	19
FIT	19
FVM	19

G, H

GPU	21
HRTF	147

I

IIR フィルタ	18
ILD	148
ITD	148

L, M

LSAW	134
MPI	21
MRI	147

P

PML	20
PMMA	189
PRTF	151

S

SEA	98
SEM	134
SOFAR	175
STM	134
SV 波	127

X, Y, Z

X 線 CT	115
Yee セル	7
z 変換	18

数字

1/3 オクターブバンド	217
1 次振動	107
3 次元メッシュ	103

―― 編著者・著者略歴 ――

豊田 政弘（とよだ　まさひろ）
- 2001年　京都大学工学部建築学科卒業
- 2003年　京都大学大学院工学研究科修士課程修了（建築学専攻）
- 2006年　京都大学大学院工学研究科博士課程修了（都市環境工学専攻）
  博士（工学）
- 2006年　京都大学特定助教
- 2011年　関西大学助教
- 2014年　関西大学准教授
- 2021年　関西大学教授
  現在に至る

坂本 慎一（さかもと　しんいち）
- 1991年　東京大学工学部建築学科卒業
- 1993年　東京大学大学院工学系研究科修士課程修了（建築学専攻）
- 1996年　東京大学大学院工学系研究科博士課程修了（建築学専攻）
  博士（工学）
- 1996年　東京大学助手
- 1999年　東京大学講師
- 2002年　東京大学助教授
- 2007年　東京大学准教授
- 2018年　東京大学教授
  現在に至る

横田 考俊（よこた　たかとし）
- 1997年　早稲田大学理工学部建築学科卒業
- 1999年　早稲田大学大学院理工学研究科修士課程修了（建設工学専攻）
- 2002年　東京大学大学院工学系研究科博士課程修了（建築学専攻）
  博士（工学）
- 2004年　財団法人小林理学研究所勤務
- 2013年　一般財団法人小林理学研究所勤務
  現在に至る

朝倉 巧（あさくら　たくみ）
- 2004年　早稲田大学理工学部建築学科卒業
- 2006年　東京大学大学院工学系研究科修士課程修了（建築学専攻）
- 2009年　東京大学大学院工学系研究科博士課程修了（建築学専攻）
  博士（工学）
- 2010年　清水建設株式会社技術研究所勤務
- 2016年　東京理科大学講師
- 2022年　東京理科大学准教授
  現在に至る

長谷 芳樹（ながたに　よしき）
- 2001年　同志社大学工学部電子工学科卒業
- 2003年　同志社大学大学院工学研究科博士課程前期課程修了（電気工学専攻）
- 2006年　同志社大学大学院工学研究科博士課程後期課程修了（電気工学専攻）
  博士（工学）
- 2006年　奈良県立医科大学耳鼻咽喉科学教室特別研究員
- 2008年　神戸市立工業高等専門学校講師
- 2012年　神戸市立工業高等専門学校准教授
- 2019年　ピクシーダストテクノロジーズ株式会社勤務
  現在に至る

細川 篤（ほそかわ　あつし）
- 1993年　同志社大学工学部電子工学科卒業
- 1995年　同志社大学大学院工学研究科博士課程前期課程修了（電気工学専攻）
- 1998年　同志社大学大学院工学研究科博士課程後期課程修了（電気工学専攻）
  博士（工学）
- 1998年　沖電気工業株式会社勤務
- 1999年　明石工業高等専門学校講師
- 2002年　明石工業高等専門学校准教授
  現在に至る

木村　友則（きむら　とものり）
1988 年　電気通信大学電気通信学部電子工学科卒業
1990 年　電気通信大学大学院電気通信学研究科修士課程修了（電子工学専攻）
1990 年　三菱電機株式会社勤務
　　　　　現在に至る
2007 年　博士（工学）（電気通信大学）

青柳　貴洋（あおやぎ　たかひろ）
1993 年　東京工業大学工学部電子物理工学科卒業
1995 年　東京工業大学大学院理工学研究科修士課程修了（電気・電子工学専攻）
1998 年　東京工業大学大学院理工学研究科博士課程修了（電気・電子工学専攻）博士（工学）
1998 年　東京工業大学助手
2010 年　東京工業大学准教授
　　　　　現在に至る

田原　麻梨江（たばる　まりえ）
2002 年　東京工業大学工学部電気電子工学科卒業
2005 年　東京工業大学大学院社会理工学研究科修士課程修了（人間行動システム専攻）
2007 年　東京工業大学大学院総合理工学研究科博士課程修了（物理情報システム専攻）博士（工学）
2008 年　株式会社日立製作所中央研究所勤務
2013 年　東京工業大学准教授
　　　　　現在に至る

竹本　浩典（たけもと　ひろのり）
1993 年　京都大学理学部卒業
1995 年　京都大学大学院理学研究科修士課程修了（動物学専攻）
2000 年　京都大学大学院理学研究科博士課程修了（生物科学専攻）博士（理学）
2000 年　株式会社国際電気通信基礎技術研究所勤務
2009 年　独立行政法人情報通信研究機構勤務
2015 年　国立研究開発法人情報通信研究機構勤務
2016 年　千葉工業大学教授
　　　　　現在に至る

土屋　健伸（つちや　たけのぶ）
1994 年　神奈川大学工学部電気工学科卒業
1996 年　神奈川大学大学院工学研究科博士前期課程修了（電気工学専攻）
1996 年　神奈川大学助手
2005 年　博士（工学）（東京工業大学）
2007 年　神奈川大学助教
2010 年　神奈川大学准教授
2019 年　神奈川大学教授
　　　　　現在に至る

鶴　秀生（つる　ひでお）
1983 年　東京大学理学部物理学科卒業
1985 年　東京大学大学院理学系研究科修士課程修了（物理学専攻）
1987 年　東京大学大学院理学系研究科博士課程中退（物理学専攻）
1987 年　東京都立大学助手
1990 年　キヤノン株式会社中央研究所勤務
1990 年　理学博士（東京大学）
1992 年　株式会社計算流体力学研究所勤務
1993 年　日東紡音響エンジニアリング株式会社勤務
2015 年　日本音響エンジニアリング株式会社勤務
2017 年　株式会社 OTSL 勤務
2018 年　株式会社 JVC ケンウッド勤務
　　　　　現在に至る

FDTD 法で視る音の世界
Acoustic Field Visualization by the FDTD Method

Ⓒ 一般社団法人 日本音響学会 2015

2015 年 12 月 16 日 初版第 1 刷発行
2023 年 9 月 5 日 初版第 2 刷発行

検印省略	編　者	一般社団法人 日本音響学会
	発 行 者	株式会社　コロナ社
		代 表 者　牛来真也
	印 刷 所	萩原印刷株式会社
	製 本 所	有限会社　愛千製本所

112-0011　東京都文京区千石 4-46-10
発行所　株式会社　コロナ社
CORONA PUBLISHING CO., LTD.
Tokyo Japan

振替 00140-8-14844・電話(03)3941-3131(代)
ホームページ https://www.coronasha.co.jp

ISBN 978-4-339-01346-7　C3355　Printed in Japan　　　　　(新井)

本書のコピー，スキャン，デジタル化等の無断複製・転載は著作権法上での例外を除き禁じられています。
購入者以外の第三者による本書の電子データ化及び電子書籍化は，いかなる場合も認めていません。
落丁・乱丁はお取替えいたします。